投資
中國房地產
法律實務手冊

投資

中國房地產

法律實務手冊

麥宗鉅 編著

商務印書館

投資中國房地產
——法律實務手冊

編 著 者—麥宗鉅律師

問答編訂—廖卓英

責任編輯—廖劍雲

責任校對—李敬芳　黃文逵
陳劍虹　李小穎

出 版 者—商務印書館(香港)有限公司
香港鰂魚涌芬尼街2號D僑英大廈

印 刷 者—美雅印刷製本有限公司
九龍官塘榮業街6號海濱工業大廈4樓B1

版　　次—1992年8月第1版
1993年10月第3次印刷

ISBN 962 07 6133 2

Printed in Hong Kong

序　言

隨着改革開放的加強，中國土地管理制度也逐步深入發展，中國目前仍堅持土地使用權與所有權分離，實行土地有償使用制度，充分發揮土地利用的經濟效益，實現土地的優化利用。

中國房地產市場目前正方興未艾、欣欣向榮。中國房地產市場由於投資少、收益大，吸引了廣大港、澳、台、華僑同胞。在經濟特區、開發區、沿海城市，特別是廣東珠江三角洲地區一帶，房地產的開發活動確實波瀾壯闊，後浪推前浪，不斷深入發展。中國各省、市為配合房地產的改革開放，有關方面已密切關注樓宇買賣、土地開發的經營活動，各地方政府均先後制定有關法規、條例，確保置業者、開發經營者的合法權益。

當前投資置業者急切需要和關心投資中國房地產方面的法律、法規、政策知識，以保障自己的合法權益。《投資中國房地產——法律實務手册》一書，既有中國房地產政策、法律、法規，還介紹投資中國房地產方面應注意的法律問題。本書理論與實際結合，引導置業投資者依法買賣樓宇，經營開發土地，及其土地使用權的出讓和轉讓，使國內外房地產置業、投資者透過法律程序保護自己。

本書是一本面向廣大置業人士、房地產開發經營者、地產界、金融界、法律工作者的實用手冊。謹以立序。

譚兆璋
國際科技工商管理交流中心總監

1992年8月8日

編寫說明

隨着改革開放深入展開，中國房地產市場也同其它行業一樣興旺發達，房地產市價不斷攀升，尤其廣州、深圳、珠海、汕頭、福建廈門、海南等經濟特區更甚，更吸引了許多海外華僑、港、澳、台地產界、金融界，置業人士正大舉進軍國內的房地產市場。

中國為了吸引外商投資，從事開發土地，經營外銷商品樓宇，公布了一系列有關房地產的法律規定，以保障房地產投資者及置業人士的合法權益。目前，國內的房地產業是一個新興行業，房地產市場方興未艾，加上中國房地產法規、制度還未完善，國內房地產制度與外國、港、澳、台地區有所不同。中國實行以城鎮國有土地使用權有償出讓、轉讓制度以來，土地使用權轉讓日趨增加，加上改革開放在中國深入開展，特別是經濟特區發展迅速，房地產業給投資者帶來豐厚利潤。廣州、惠州、佛山、東莞、珠江三角州、經濟特區等地，鄰近港、澳，交通方便，勞動力便宜，投資小，效益大，有着良好的投資環境，吸引了廣大港、澳、台客商投資，紛紛開發建廠。目前該地區三資企業已聘用勞工達數百萬人，由於工人的劇增，人們的生活改善，對住房的需求增加，加上國內的房地產價格比港、澳、台地區便宜得多，該地區已成為港、澳、台人士及其親友理想的置業選擇。

由於國內土地使用權價值不斷標升，一些客商急於購買土地使用權，而內地的一些原有土地使用者又缺乏土地使用權轉讓的法律知識，法律意識不足，因而出現土地使用權之非法轉讓，僅廣東土地使用權非法轉讓，在 1989 年、1990 年就查處了 2,000 餘宗，面積為 1,190 畝。非法交易的主體各行各業有不同程度的存在，既有城鎮的國有土地，也有農村的集體土地，這些土地使用者，既無轉讓權，也沒有向有管轄權的國土局申請批准，依法轉讓。由於非法轉讓而使投資者的權益無法保障，所簽訂的合同也難以執行。故海外，港、澳、台投資者及置業人士，為使其投資有保障，逼切需要了解中國房地產法律，本書正是適應這一要求而編寫的。為使投資者、置業人士了解中國房地產法律，在國內依法開展房地產買賣活動，我們特別編寫了本書。

本書分為三部分：第一部分為“置業買賣編”，第二部分為“投資發展編”，第三部分為“應用法例編”，從不同角度提供有關中國房地產之買賣及法律資訊，希望有助讀者制訂投資中國房地產之攻守策略。

這裏應該強調，讀者如有現實的法律問題，務請諮詢執業律師。出版社及作者對任何因誤用誤解本書所載資料而引致的直接或間接的損失，不負法律責任。

編者

1992 年

緒　言

中國自實行經濟改革和開放政策以來，推動了房地產制度的改革，1988 年 4 月 12 日第七屆全國人民代表大會第一次會議通過《中華人民共和國全國人民代表大會公告第八號》、《中華人民共和國憲法修正案》，在該項“修正案”中，對憲法第 10 條四款進行了修改，即從“任何組織或者個人不得侵佔、買賣、出租或者以其他形式非法轉讓土地”。修改為“任何組織或者個人不得侵佔、買賣或者以其他形式非法轉讓土地，土地的使用權可依法轉讓”。從此，在中國確立了土地使用權有償轉讓制度。各省、市、經濟特區結合本地區實際情況，根據《中華人民共和國憲法修正案》第 2 條、《中華人民共和國土地管理法》、《外商投資開發經營成片土地暫行管理辦法》、《國務院關於中外合營企業建設用地的暫行規定》、《國務院關於鼓勵外商投資的規定》等法律規定，制定了法規、規定和辦法。現根據上述法律、法規、規定和辦法，對境外客商在中國境內從事房地產買賣及投資時應注意的法律問題，分兩部分十二章論述如下。

總目

三 應用法例編

應用法例、法規目錄

A 綜合應用法規

B 廣東省現行法規

C 廣州現行法規

D 深圳現行法規

E 珠海現行法規

F 汕頭現行法規

G 海南現行法規

H 上海、天津現行法規

I 黑龍江、大連現行法規

J 廈門、寧波現行法規

圖表目錄

一

置業買賣編

1

房地產預售(樓花)

1 房地產預售

1.1 預售房地產必須具備以下條件：

1.1.1 預售房地產必須經申請批准，房地產經營者須向房地產登記部門申請，獲准後，方可預售房產。按規定：未經批准所簽的《房地產預售合同》一律無效，並會被視其違章情節，科處罰款及其他處罰。

1.1.2 房產經營者領有《土地使用證》和《建築許可證》。

1.1.3 已簽訂房屋建築工程合同。

1.1.4 在房地產所在地的註冊銀行開立代收樓宇預售款的專門賬户。

1.1.5 在該期建築預算總額金額的20%匯入所在地的開户銀行。

1.1.6 已按規定繳清地價款。

1.1.7 投入開發建設資金已達投資額的25%以上。

1.2 房地產經營者向房地產登記部門申請預售樓宇時，須提交以下文件：

1.2.1 上述 1.1 所具備預售條件的有關證明文件；

1.2.2 房地產使用、管理、維修公約；

1.2.3 預售房產款的監督機構（包括銀行、律師事務所）和監督方案；

1.2.4 如屬共有房產預售，須有共有人的書面協議；及

1.2.5 房產登記部門認為應提供的其他文件。

1.3 房產預售（預購）必須簽訂房產買賣合同，合同應該包括以下內容：

1.3.1 房產面積、座落位置和界線（並附圖）；

1.3.2 土地使用面積和價格；

1.3.3 房產的用途和價格；

1.3.4 交付款方式；

1.3.5 房產交付使用期限；

1.3.6 違約責任；及

1.3.7 糾紛處理辦法和受理機構。

1.4 房產預售款項必須專款專用。

1.5 房產經營者領到房屋建築竣工證後，應及時書面通知房產預購人，並向房產所在地的房產管理部門辦理房地產權轉移登記手續。

表1 商品房預售審批登記程序

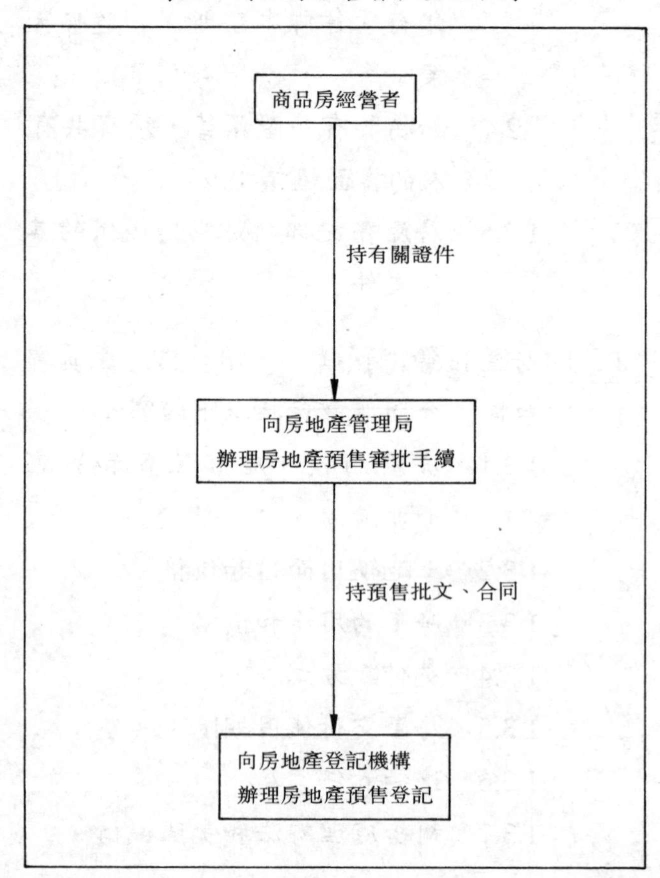

Q：*如何確定在香港刊登廣告的樓盤確實存在？*

A：為確定在香港刊登廣告的國內樓盤確實合法存在，可通過中國律師到國內有關部門調查以下各項問題：

(1) 開發公司或發展商是否已按規定的法律程序辦理用地手續，按規定繳交地價等費用，是否已領有《土地使用證》

(2) 是否已進行徵地、拆遷並進行補償；

(3) 是否已勘測設計；

(4) 是否已進行"三通一平"；

(5) 是否已經城市規劃部門批准及城市建設部門批准，並領取《建築許可證》、《開工許可證》。

(6) 是否已簽訂房屋建築施工合同並已動工。

如經調查發現上述問題屬實，則可證實該國內樓盤確實存在。

Q：*何時才能出售國內樓花，有否法律依據？*

A：根據中國一些開放省市、特區等地方法規對售出國內樓花有不同程度的規定。房地產發展商或房地產經營者必須向市房地產登記部門申請，獲准後方能預售國內樓花。申請出售國內樓花應具備以下條件；

(1) 除已繳足地價款外已投資開25%；

(2) 已領有土地使用證書；

(3) 市建設主管部門已簽發《建築許可證》、《開工許可證》;

(4) 如屬樓花外銷,房產登記部門則發給《外銷許可證》;

(5) 已有房地產銷售對象、格價及計劃;

(6) 已備有房屋使用、管理及維修公約;

(7) 已備有預售的監督機構《律師或銀行)和監督方案;

(8) 經銀行或註冊會計師審核的驗資證明,符合已投入開發資金已達總投資額 25% 的規定。

Q:*申請房地產預售應向哪機關申請並提交哪些證明文件?*

A:房地產經營者向有管轄權的房地產登記處提出預售申請時,須提交以下文件:

(1) 建設局簽發的《建築許可證》和《開工許可證》;

(2) 房地產預售對象、價格、計劃;

(3) 房屋使用、管理、維修公約;

(4) 預售款的監督機構和監督方案;

(5) 經銀行或註冊會計師審核的,除用地價外,投入開發建設的資金已達總投資的 25% 的驗資證明。

(6) 房地產登記處認為應提供的其他文件。

Q：購買樓花的一般程序是怎樣的？

A：當購房者決定認購國內的外銷樓宇時，發展商或代理商就為購房者安排一連串的程序：

(1) 即時簽訂一式兩份的《樓宇認購書》，即《樓宇預售合同書》。一份由發展商或代理商保管，另一份則由購房者保管；

(2) 支付一筆 2 萬至 3 萬元的定金。如果是通過代理商認購，則代理商也同時要求支付佣金，這筆佣金一般為樓價的 1%–1.5% 不等；

(3) 確定某個日期，帶備抬頭寫上發展商的本票（本票的金額為購房者選取的付款方法之金額數目，交給發展商。例如：購房者選擇分期付款，首期是三成，則本票的金額應為樓價的三成減除已付定金的數額；

(4) 發展商收到本票後，會開具收據給購房者，購房者拿到收據後，憑收據到公證處公證《樓宇預售合同》，公證書發出後，初時簽訂的《樓宇認購書》即屬無效。已公證過的合同及公證書是有法律效力的文件，購房者應小心保管。公證書的費用爲樓價的0.3%，由購房者支付；

(5) 購房者拿到《公證書》後，就要遵照《樓宇預售合同書》所規定的付款方法付款。如果樓宇是直接購自發展商，而發展商是在國內，所選擇的又是分期付款，則購房者付款就須拿本票，到當地付款；如果樓宇是透過代理商購買，則可直接將本票給代理商，由代理商轉交發展商；

(6) 購房者根據《公證書》上註明的日期收樓。過往經驗顯示，發展商往往將收樓的日期押後，也就是說，如果《公證書》上訂明發展商在 1994 年初將物業交付購房者使用，實際上便是 1993 年底即可入伙。所以購房者應有這個心理準備；

(7) 當物業可交付購房者使用時，發展商會發信通知小業主到指定地點辦理入伙手續，領取鎖匙；

(8) 小業主根據售樓者所列的內容驗收物業，檢查各項設施與售樓書上所列是否相符，若發現不符者 ，則向發展商提出，要求修繕。而物業則規定有一年的保用期；

(9) 小業主在領取鎖匙後，通常在 2 至 3 個月後即可向房地產權登記處領取《房地產證》。領到《房地產證》後，即表示各項購樓手續完成。

Q：*《樓宇認購書》包括哪些內容？*

A：《樓宇認購書》是由發展商預先草擬，簡單地列明買賣雙方互相約束的條件，以保障買賣雙方利益的文件。它主要包括五方面的內容：

(1) 發展商的名字；

(2) 認購方的個人資料；

(3) 樓宇位置及建築面積；

(4) 付款辦法；

(5) 出售方與認購方共同遵守的規則。

《樓宇認購書》的內容雖簡單，但簽訂之後就意味着供款，故此切勿輕忽大意。事前，有意認購者必須對樓宇有相當認識，例如，樓宇四周之環境，是否已動工等，最好自己能親身前往地盤視察一看。現時國內推出許多樓盤，有些發展商會作出不法行為，魚目混珠的情況是存在的。另一方面，認購者也應仔細閱讀售樓書，了解樓宇的各項細節，例如：建築材料、樓宇內的基本設施是否齊備等，並拿一份存案，以備在收樓時作參考，以免貨不對版。最後，認購者也要向發展商或代理商查詢該樓宇是否有外銷權、是否能證明等，都要一一了解明白，才動筆簽這份《樓宇認購書》。

Q：*公證處是甚麼樣的機構？公證書包括了哪些內容？*

A：公證處是國家公證機關，行使國家公證權。公證書的內容是根據當事人的申請，依法證明其法律行為和事實，證明其真實性、合法性。申請公證的當事人在國家公證員面前簽署有關法律文書，國家公證員則證明簽章屬實。如樓宇買賣合同、委託書、抵押貸款擔保合同。國家公證員則證明買賣雙方當事人、委託人、抵押人和抵押權人所簽署的《樓宇買賣合同》、《委託書》《抵押貸款擔保合同》等法律文書簽章屬實，就是公證書的內容。

Q：*《商品房產買賣合同》包括哪些內容？*

A：《商品房產買賣合同》是取代原先買賣雙方所簽訂的《樓宇認購書》之正式的買賣合同。如果兩者的內容有不同之處，一切應以該份《商品房買賣合同》為準。其內容有以下幾點：

(1) 出售方（稱甲方）單位的名稱；
(2) 購買方（稱乙方）姓名（或經濟組織名稱）、性別、年齡、國籍、身分證號碼、地址、電話號碼；
(3) 當地政府批准用地的文件文號、地段、面積、使用年期、土地所有權屬；
(4) 樓宇建築面積、座落（位置）、分期土地面積；
(5) 房產用途；
(6) 購房價格；
(7) 付款方法及所付款額；
(8) 交付使用日期；
(9) 雙方權利及義務；
(10) 違約責任及糾紛處理；
(11) 其他雙方認為必須規定的事項。

Q：*在香港經營售賣國內外銷商品房的公司有哪幾個種類？*

A：現時市面上銷售國內外銷商品房的地產公司很多，經營手法各異，在種類上大致可分為以下幾類：

(1) 發展商以合資形式組成，而其中一種為本港的建築商。樓盤的發售也順理成章地由該建築商包攬。該類公司經營手法較成熟，較能迎合香港人的做事作風，樓花的買賣程序引入香港的模式，例如，提供充足的樓盤資料、預先與銀行安排樓宇按揭，以減低購買者的風險，而它的樓價也最能體現最新的市場動態；

(2) 發展商屬國內的開發公司。當有樓盤在本港發售時，該公司會自己派遣人員來港銷售，不假外求。由於樓花預售需時較長，比如安排按揭、分期付款、辦理公證等，但他們卻不能留港太久，以致後期工作往往顯得很凌亂；另一方面，由於發展商缺乏對香港地產市道的認識，樓價往往不能反映市價；

(3) 發展商將樓盤全權委託本港的地產代理商代理其在港的售賣事宜。由於地產代理商專門經營這類業務，有較豐富的經驗，他們對購買者的服務也較周到。組織“睇樓”、辦理按揭、公證、付款、入伙等均着力協助，希望以良好的服務招徠生意；

(4) 發展商將樓盤賣與本港的地產商，由地產商用包銷形式在港發售。這種包銷形式的地產商，為了謀取利潤，必提高售價。故帶有很濃厚炒賣樓宇的色彩。

Q：*樓花能不能轉讓？*

A：國內有明文規定，樓花是不能轉讓的，要將樓宇轉賣，一定要等到樓宇落成入伙，小業主領到《房地產證》後，才能轉讓。但由於現時國內的房地產法例仍未夠完善，漏洞也不少，以致給部分小業主利用這些法律漏洞，達到炒賣樓花的目的。

現時深圳的房地產法例規定，購房者在跟發展商簽訂《房屋預售合同》後，有6個月的寬限期，可以不到公證處辦理公證手續，令到購房者可以利用這6個月的時間，把樓花轉讓出去，進行炒賣活動。另外，當6個月的時間屆滿後，部分購房者更可憑着與發展商的良好關係，或私下跟發展商訂下某些協議，例如，給發展商一筆轉名費，將原先簽訂的合同取消，重新簽訂一份新的合同。這樣一直的續期下去，小業主就可以有時間將樓花轉賣圖利了。而這樣的轉賣活動，政府是不會抽取任何稅費的。

目前，深圳政府為了堵塞這方面的漏洞，正草擬有關的法例，規定小業主跟發展商簽訂《房屋預售合同》後，馬上就得到公證處進行公證，以打擊樓宇炒賣活動。但其他地區現時還沒有這方面的法例，以致這些地區樓宇炒賣的風氣異常活躍。訂立有效的法例，完善房地產市場，是這些地區刻不容緩的工作。

Q：*樓花的付款通常有哪幾種方式？*

A：當前國內外銷商品房的樓花付款，一般有以下幾種方式：

(1) 一次過付款：即在預售合同書簽訂後，一次付清餘款。通常這種付款可得到較高的折扣優惠，譬如，八五折或九折等，但這種付款所冒的風險也最高。現時有些發展商利用國內的房地產法尚未完備的空檔，在發展的樓盤還是一塊爛地的情形下，就在海外發售樓花，騙取金錢，然後一走了之，令購房者蒙受巨大的經濟損失。故此，有人形容國內的房地產市場，是“兩頭熱，中間冷”，所謂“兩頭熱”是指購房者的需求大，但土地數量少，樓盤因而出現物以罕為貴之現象。“中間冷”是指發展商（特別是外資發展商）投入的資金少。所以購房者在選擇一次性付款時，必須充分了解發展商的實力及背景；

(2) 分期付款：即在簽訂預售合同後，分期繳交樓款。例如樓宇在 1993 年底落成，7 月 31 日前付 30%，10 月 31 日再付 30%，入伙後

15 天內再繳付餘下的 40%。雖然這種付款方法沒有一次性付款那樣可以享有折扣優惠，但在現時市場複雜的情況下，為減少投資風險，仍不失為一種好辦法；

(3) 銀行按揭貸款：若銀行提供樓宇貸款，可減少購房者的資金壓力及風險，因而也最受購房者歡迎。但有一點購房者必須注意，現時有些發展商，在與銀行尚在洽商接觸時，已公開表示可享有銀行按揭，到頭來銀行不承擔責任，最終受害人仍是小本投資者。在深圳曾有這樣的事例。“暗盤”（內部認購）開出時，一再聲明有按揭。後來和銀行之按揭告吹，全部要“真金白銀”支付第二期。“小本經營”者本錢短絀，無法跟進，只好放棄，但原先付出的首期，礙於外匯管制條例，一時間無法匯出而遭凍結。所以銀行是否接納按揭，亦是購房者應關注的事，不能只聽發展商的一面之辭，最穩妥的方法是，直接打電話到提供按揭的銀行查詢。

Q：*怎樣辦理銀行按揭服務？*

A：如果發展商有聯絡銀行安排樓宇作按揭貸款，而購買者也有意申請，則需提供下列的資料給銀行：

(1) 申請人及聯名人（如有）之身分證/護照；

(2) 薪俸稅單/繳稅通知書/入息證明；

(3) 銀行存摺/月結單（半年以上的往來紀錄）；

(4) 如果是公司性質購樓，則需附商業登記證及利得稅申報表/繳稅通知書；

(5) 與發展商簽訂之樓宇買賣合同/預定合約或房地產證；

而通常在申請表格送出一、二週內，就能得到銀行的答覆，現時辦理國內樓宇按揭服務的本港銀行有三家：南洋商業銀行、廣東省銀行及東亞銀行。

若銀行批覆答允按揭，則申請者必須親自到銀行一趟，辦理有關按揭手續，首先銀行會將申請人的樓宇公證書作抵押品，若申請人有房產證則收房產證作抵押品。然後，簽訂《金融公證書》一式四份，供滿後再取回房產證或公證書。手續完成後，銀行就會安排貸款，目前，國內樓宇貸款額最高可按到樓價七成，最長年期為 10 年，利率則稍高於本港的優惠利率。

2

商品住宅、合作經營樓宇之外銷

2 商品住宅、合作經營樓宇之外銷

商品住宅外銷

2.1 商品住宅外銷的條件：

2.1.1 通過招標，拍賣有償取得商品住宅外銷用地的；

2.1.2 其編報的外銷計劃已納入所在地政府年度土地供應外銷計劃；

2.1.3 需有建設局發給的單項《商品住宅外銷許可證》。按規定：土地使用者應在簽訂土地使用權出讓合同之日起 30 天內憑土地使用權出讓合同向建設部門領取該許可證。

2.1.4 已按規定繳交地價款；

2.1.5 必須有管轄權的建設局簽發的《建築許可證》和《開工許可證》；及

2.1.6 已投入開發建設資金已達總投資額不少於25%。

2.2 土地使用者向有管轄權的房地產登記部門提出預售外銷商品住宅申請時，應提交以下文件：

2.2.1 有上述 2.1 外銷商品住宅條件的證明文件；

2.2.2 預售說明：包括樓宇位置、裝修標準、總套數、單元建築面積，擬售價格預售時間、地點，峻工及交付使用時間；

預售申請一經批准、預售說明書對土地使用者有約束力。售樓廣告必須與預售說明書對土地使用者有約束力。售樓廣告必須與預售說明書內容一致。

2.2.3 房屋使用、管理、維修公約；及

2.2.4 預售款的監督機構（銀行或律師事務所）和監督方案。

2.3 經政府批准預售外銷商品住宅的，土地使用者應按規定：每滿 7 天後的第 2 天，將預購者的名冊與預售（購）合同，報有管轄權的房地產登記處辦理預售登記。土地使用者弄虛作假或

未按期辦理預售登記的，即不具有法定效力，國土局應予以糾正並可根據情節給予警告。對警告仍不糾正的，視同非法轉讓土地，將按《中華人民共和國土地管理實施條例》第 31 條處理，情節較重的，經政府或管委會批准，收回具土地使用權。

2.4 按規定預售外銷商品住宅，在未領取《房產證》前，不得轉讓，否則轉讓無效，不受法定保護。

2.5 行政劃撥及協議書出讓給國家機關、事業單位、羣眾團體、部隊非營業性用地，按中華人民共和國法定規定：不准為商品住宅外銷用地，也不得以合資或其他合作形式進行開發轉為商品住宅外銷用地。

2.6 按規定：商品住宅售價，一律以外匯支付。

2.7 凡以人民幣購買的商品住宅，不得轉讓給外國人、華僑、港、澳、台同胞及其他組織。

2.8 以外匯購買的商品住宅，允許轉讓的對象範圍：

2.8.1 在中國投資的外國人、華僑、港、澳、台同胞及其組織；

2.8.2 外國人、華僑、港、澳、台同胞及其組織；

2.8.3 在中華人民共和國註冊的企事業單位；

2.8.4 在中國商品住宅的常住户口，又符合購房條件的個人；及

2.8.5 在境外中資機構服務的國內人員。

2.9 沒有房地產外銷權，又未經有管轄權的建設部門批准而進行商品住宅外銷的，按《中華人民共和國土地管理法實施》第31條規定處理，被沒收其非法所得。

2.10 有房地產外銷權的企業，其外銷商品住宅的使用期限超過土地使用年限的，應由銷售單位向有管轄權的國土局補足超過年期的地價款後，經有管轄權的國土局批准認可其土地使用年期。

合作經營樓宇外銷

2.11 合作經營樓宇，即一方出地，一方出資合作建房外銷的合作建房情況如下。

2.12 合作建房的條件：

2.12.1 經有管轄權的國土局批准，需有與他方合作建房申請書；

2.12.2 按市價補足地價款；

2.12.3 領有土地使用權證書；

2.12.4 土地使用者與投資者簽訂合作建房合同；

2.12.5 按規定：合作建房合同簽訂之日的 15 天內到所屬的房地產登記機關辦理變更登記手續，換領《房產證》；及

2.12.6 經主管部門批准，合作中的一方具有房地產開發外銷權。

2.13 合作建房應提交的文件：

2.13.1 上述 2.2 項合作建房條件的有關證明文件；

2.13.2 預售説明書；

2.13.3 房屋使用、管理、維修公約及

2.13.4 預售樓宇的監督機構及其監督方案。

2.14 國家機關、事業單位、部隊、衛生、文化、教育、科研單位和市政公共措施等非營利性用地與合作建房。即使簽訂了合作建房合同也是無效，不受法律所保護。

2.15 通過協議方式所得土地使用權的企業和其他經濟組織或個人，在向有管轄權的國土局呈交上述 2.3項中的文件，經批准後，按市場價格補足地價，便可依法與他方合作。

表2 房地產交易鑒證程序

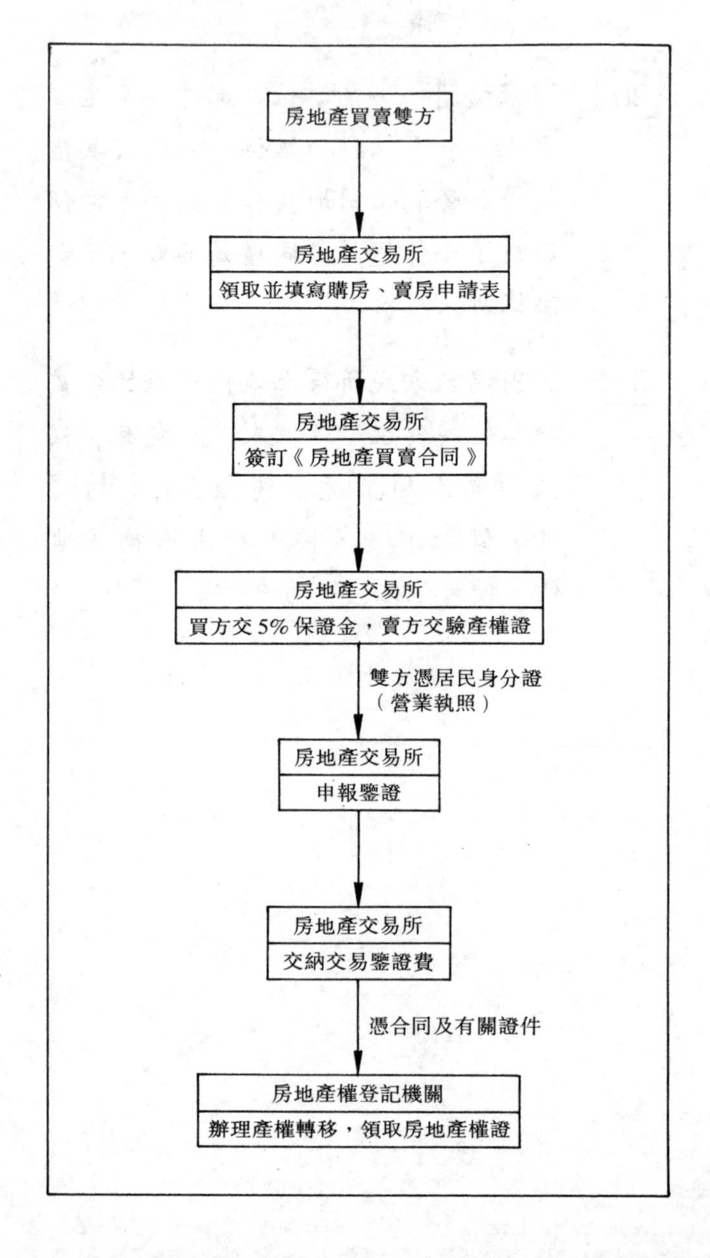

Q：*商品房的外銷權有否明確規定？*

A：中國法律對商品外銷權尚未有明確的規定，但一些省、市、特區都有不同程度的規定。

對外銷商品房的單位必須是信譽良好，具有相當技術力量，對商品房產經營有一定的業績，技術素質達二級以上（含二級）有經營權的房地產開發公司。

經營外銷商品房的房地產開發公司，必須向政府主管部門申請經批准，具有外銷房地產經營權，並擁有商品房的外銷許可證，同時具有一般商品房的出售條件。

Q：*國內的住宅樓宇分幾種？哪種是可以賣給外國人、華僑或港、澳、台人士的？涉外商品房有何特徵？*

A：目前，國內的住宅樓宇大體可分為三類。一是給擁有當地戶籍且有工作單位的人士購買，類似香港"居者有其屋計劃"的"福利房"，其售價低於市值，只許自住，而不能進入市場交易；二是供擁有當地居住權的人士購買的"商品房"，政府允許其轉讓、出租；三是可供外國人、華僑或港、澳、台人士購買的"涉外商品房"。

上述三類物業中，涉外商品房佔的比例最少，目前深圳涉外商品房約佔總數的兩成半，其他如廣州、寶安、中山等地比這個數目還要少，但粵東的淡水情況卻相反，到處都是涉外商品房在售賣，一些地盤根本是爛地一塊。對此，置業投資者務要小心。涉外商品房的售價最高，而得到的基本設施也最完備，水、電等的供應也最充足。

按當局規定，涉外商品房並非所有房地產公司都可經營，除外商在以外匯投得的土地上興建的樓宇必是涉外商品房外，其他形式的地產公司（包括合資公司、國內任何背景的地產公司）在將"商品房"轉為"涉外商品房"時，都必須經當地政府批准及補地價後，始能轉為涉外商品房售予海外人士。

Q：*在缺乏樓盤資料的情況下，怎樣辨別樓盤屬涉外商品房？*

A：1992年4月，深圳曾發生一宗轟動一時的"錦花大廈"事件，事件中懷疑涉及有發展商在未獲得外銷許可證的情況下，就向海外人士出售住宅單位，令不知就裏的海外小業主必須在補地價後，始能擁有較早前買下的物業。這事件令有意在國內置業投資的人士對眼前正售賣的樓盤是否有外銷權，產生疑問。而對一些擁有外銷權樓盤的發展商，又因為批文浩繁，不可能一一展示給那些置業投資者鑑證，以致誤會頻生。

根據以往經驗，可憑以下幾個特徵，辨別樓盤是否涉外商品房：

(1) 該樓盤有否本港銀行願意提供按揭貸款。因銀行只有在清楚了解發展商推出的樓盤屬於"涉外商品房"及其文件具備的情況下，才會提供按揭服務：

(2) 在購樓時，發展商或代理商能明確表示在那一個日期能辦到公證服務。公證處是國家公證機關。如果公證處肯辦公證，則證明該買賣是真實而合法的；

(3) 在發生"錦花事件"後，深圳市政府規定，以後深圳的涉外商品房一律需刊登國土局發出的准許證號碼。購買者可隨時向深圳國土局查詢。

當然，由於國內的房地產法例並不完備，"各處鄉村各處例"的情況十分普遍，為令自己不受損失，最穩妥的辦法是購房者在簽約前，先向承辦律師索取足夠的資料，才作決定。

Q：*外銷的涉外商品房可享有哪些優惠？*

A：現時國內各地拿到海外售賣的涉外商品房有兩種模式，一是整幢為涉外商品房，一是只有部分單位為涉外商品房。對於整幢都是外銷的樓宇，現時政府在通水、通電方面較其他類型的樓宇（福利樓、商品樓等）優先，供應也充足。而在另一些地區，經營涉外商品房的發展商，更與當地政府達成協議，准許業主一次過從海外享受免稅進口自用傢具、電器等家庭用品。而對於一些人口不多，但發展迅速的工業城市，比如珠海、寶安、中山、淡水等，購房者更可遷入國內親屬的戶口，並有明確規定：購買建築面積 50 至 70 平方米可遷入一人，購買 80 平方米以上可遷二人。但需收費用，具體是，若遷入者原屬農村戶口，收費為港幣 10,000元，若屬城市戶口，收費則為港幣 3,000元。"親屬"的定義並不只限於直系親屬，旁系的或甚至朋友也可以。廣州也可以遷戶口，但只限於遷入者原來必是城 市戶口才可以。

3

房地產權轉移

3 房地產權轉移

3.1 房屋是一種特殊商品，可以隨土地使用權轉讓，也可以土地使用權分離單獨轉讓。一般來説，房產買賣期限不能超過土地使用期。

3.2 房地產轉移一般通過以下途徑進行：

3.2.1 買賣雙方簽訂房產買賣合同，房地產買賣合同條款參照房產預售買賣合同；及

3.2.2 房產業主將其房產贈予他人，業主與受贈人簽訂房產贈予合同。

3.3 凡買賣、交換、贈予均需簽訂合同，並向有管轄權的房產登記機關辦理變更登記手續。

3.4 共有房產的買賣、交換，須經房產共有人一致同意並訂有書面協議書。房產共有人對一致同意的共有房產的買賣、交換負有連帶責任。

當書面協議無法成立時，房產共有人只能將屬於自己份額的房產進行買賣、交換。

房產共有人將自己份額的房產出售時，在同等條件下，其他共有人有優先購買權。

共有房產的繼承情況亦同。

3.5 房產分割：房產共有人必須進行分割，參照上述 3.4 條，並訂立分割合同。

Q：*將房地產權轉賣給其他人的手續是怎樣的？*

A：涉外商品房的業主在領取了《房地產證》後，可以自由買賣。所得的利潤政府是要抽稅的。至於轉賣的對象可以是當地人也可以是海外人士，但當地人有較低樓價的"商品房"購買，而業主也不願意賣給用人民幣結算的買家，所以業主只能將物業賣給海外人士。當業主找到買家時，他要辦理以下手續。

(1) 到房地產交易所提供買賣雙方的資料。例如賣方的《房地產證》，買賣雙方的身分證副本，營業執照副本等。以便交易所審定雙方的資格是否符合轉讓所允許的範圍；

(2) 由交易所派員對物業進行房屋評估定價，判斷買賣雙方交易的樓價是否合理；

(3) 以上兩點通過後，買賣雙方就要簽訂一份《房屋買賣合同書》，以落實這筆交易；

(4) 買賣雙方拿《房屋買賣合同書》到公證處辦理公證手續，由政府承認這單交易；

(5) 買賣雙方到市房地產權登記處交納有關稅費；

(6) 到房地產權登記處辦理變更登記。登記費按樓價0.1%計收，最高不超過50元。

以上所述，主要是深圳特區的情況，其他地區手續簡單得多。但相信這只是暫時性的，今後全國的房地產法大多會跟從深圳特區，而深圳也會進一步完善房地產法。

Q：*政府對物業轉售所賺取的利潤徵收哪些稅費？*

A：國內的房地產政策，是不希望有人從炒樓中圖利的，所以國家對物業轉售會徵收很重的稅費，從而打擊炒賣活動，而其中稅是由國家部門徵收，費則是屬當地政府徵收。以深圳為例。

如賣方賺取	稅費收
100%	40%
200%	60%
300%以上	100%

表3是深圳特區房地產轉讓應納稅費表及實例一則，供讀者參閱。

由於現時國內房地產市場還未臻成熟，除深圳因起步較早，法例較完整外，其他地區的法例可說是極不完善。就以房地產權轉移為例，廣州、惠州、珠海、寶安、中山、上海、福建現時施行另一套方法：所有手續都在市房地產交易所進行，而所收的費用只是微乎其微（手續費 0.5%，鑑證費 1.5%，以交易樓價計算）。無怪乎該等地區的樓宇炒賣現象較深圳熾熱了。

表 3　深圳特區房地產轉讓應納稅費（三級房地產市場）

稅(費)種類	稅(費)率		稅(費)計算方法	納稅交費義務人	備　註
印花稅	0.05%		財產轉移書據：書據金額×萬分之5　房地產證：每件5元	出讓人 承讓人	
營業稅	3%		轉讓額×3%	出讓人	
轉讓費	增值額超過前次轉讓地價 1 倍以下部分按 40%；1 至 2 倍部分按 50%；2 至 3 倍部分按 80%；3 倍以上部分按 100% 交納。		轉讓費＝［售價（估價）－購入價×（1＋銀行利率－房屋折舊率）^{N1}－房屋改良投資（1＋銀行利率－改良部分折舊率）］^{N2}×轉讓費費率	出讓人	N 1 為房地產購入到出售的年限。N 2 為房地產改良（重新裝修）到出售年限。房屋折率和改良部分折舊率按 2% 計算。
所得稅	個人收入調節稅	20%	［售價－原購入價－改良投資－轉讓費－稅金（營業稅、城市維護建設稅、印花稅）］×20%	出讓人	適用於中國居民
	個人所得稅	10%	［售價－原購入價－改良投資－轉讓費－稅金（營業稅、城市維護建設稅、印花稅）］×10%	出讓人	適用於外國人、港澳台同胞、華僑
	企業所得稅	15%	［售價－原購入價－改良投資－轉讓費－稅金（營業稅、城市維護建設稅、印花稅）］×15%	出讓人	適用於單位
公證費	0.3%		合同總價×0.3%	雙方商定	
登記費	0.1%		轉讓額×0.1%（最高為150元）	領證人	
契稅	6.42%		買賣（或贈與）金額×6.42%	承讓人	港、澳、台同胞、外籍人士、外商免繳
交易費	1.5%		轉讓價×1.5%	雙方商定	房地產交易機構收取
城市建設稅	0.03%		轉讓價×0.03%	承讓人	

【案例】 某大廈3樓B單位

購買日期：4/92　　轉讓價 = $500,000

轉讓日期：7/95　　房屋裝修 = $50,000

原價 = $298,300　　裝修日期：10/92

1.交易費 = 轉讓價 × 1.5% = 500,000 × 0.015 = $7,500

2.公證費 = 轉讓價 × 0.3% = 500,000 × 0.003 = $1,500

3.登記費 = 轉讓價 × 0.1% = 500,000 × 0.001 = $500

= $150（最高）

4.營業稅 = 轉讓價 × 3% = 500,000 × 0.03 = $15,000

5.城市建設稅 = 轉讓價 × 0.0003 = $150

6.印花稅 = 轉讓價 × 0.05% × 2 = $500

加每本房產證貼印花稅$5

7.轉讓費 = ［轉讓價 − 原價（1 + 利率 − 折舊率）^{年期}

− 裝修（1 + 利率 − 折舊率）^{年期} × 轉讓費費率］

$= [\ 500{,}000 - 298{,}300\ (1 + 0.1050 - 0.02)^{3.25}$

$- 50{,}000\ (1 + 0.1050 - 0.02)^{2.75}\ ] \times 0.4$

$= [\ 500{,}000 - 388{,}866 - 62{,}575\ ] \times 0.40 = \$19{,}424$

8.個人所得稅 = ［轉讓價 − 原價 − 裝修 − 轉讓費

− 稅］× 10%

$= [\ 500{,}000 - 298{,}300 - 50{,}000 - 19{,}424 - 15{,}000$

$- 150 - 250\ ] \times 0.10 = \$11{,}688$

合計繳納稅費 = $55,917

∴出讓人應付稅費 $= \frac{①}{2} + \frac{②}{2} + ④ + \frac{⑥}{2} + ⑦ + ⑧$

$= \$\,\underline{\underline{50{,}862}}$

承讓人應付稅費 $= \frac{①}{2} + \frac{②}{2} + ③ + ⑤ + \frac{⑥}{2}$

$= \$\,\underline{\underline{5{,}055}}$

Q：*房地產權可轉賣給哪些人，又轉讓的款項能否匯出境外？*

A：涉外商品房的業主可以將房地產權轉售給任何境外人士或當地居民。但後者的結算必須以人民幣計算，而所得的款項也不能攜帶或匯出境外，而只能留在國內使用。由於這個緣故，業主大多會在海外找尋買家，在海外將樓款過賬，以免除在國內匯款出境的手續，其後，買賣雙方才到國內有關部門辦理手續。如果交易在國內進行，需將外匯匯出境外時，必須向有關部門提供以下的資料：公證書、購房原始發票、房產買賣合同、完稅憑證、銀行匯款的原始憑證。經批准後，便可到銀行辦理手續匯款出境。

4

房產抵押(按揭)

4 房產抵押(按揭)

4.1 房產抵押條件：房產業主申請房產抵押貸款必須向物業所在的銀行辦理，並具備以下條件：

4.1.1 已領到《房產權證書》；及

4.1.2 房屋買賣合同已訂立。

4.2 抵押合同的訂立，由雙方當事人協商草擬簽訂，合同的內容，條款完備，並明確雙方責任，合同內容應包括以下內容：

4.2.1 抵押人之姓名(名稱)和抵押權人(承押人)之名稱；

4.2.2 房產名稱、面積、座落(位置)和界線(並附圖)；

4.2.3 抵押貸款金額和付款方式；

4.2.4 抵押貸款利率；

4.2.5 抵押人償還貸款的時間和數額；

4.2.6 因抵押人造成所抵押房產損毀時應負的賠償責任；

4.2.7 違約責任

4.2.8 合同糾紛處理辦法和受理機構；及

4.2.9 雙方認為其他的必要事項。

4.3 房產抵押程序：

4.3.1 抵押人和抵押權人（承押人）簽訂抵押（按揭）合同；

4.3.2 抵押人持房產抵押合同及《房產權證書》到有管轄權的房產登記機關辦理抵押登記；及

4.3.3 抵押人將《房產權證書》交抵押權人收存，承押人按房產抵押合同的規定付款。

4.4 抵押人依約還款付息，如抵押人不依照抵押合同償還款，抵押權人有權拍賣抵押房產。

4.5 抵押權人拍賣的房產前，須通知抵押人並限定搬遷日，其限期自抵押人接到通知之日起計，一般不少於 30 天。

抵押人逾期不遷出，承押人或其代理人可按《中華人民共和國訴訟法》規定，向人民法院申請執行，抵押權人因此遭受的損失由抵押人賠償。

4.6 抵押人在抵押期內不得將已抵押的房產轉讓或再抵押。

4.7 抵押人如將抵押的房產租給他人，應徵得抵押權人的同意。

4.8 抵押房產的拍賣可委託當地的物業管理公司代理，由承押人與物業管理公司簽署委託拍賣房產合同。

4.9 抵押權人拍賣抵押房產所得的價款應按以下順序安排使用：

4.9.1 扣繳所欠稅款；

4.9.2 償付因拍賣房產而支出的一切費用；

4.9.3 扣還抵押人所欠的貸款本息；及

4.9.4 扣除上述三項款項後，如有餘數，承押人應將餘款交付抵押人。如拍賣房產所提的價款不足償還，抵押權人有權另行追索。

4.10 共有房產的抵押，須經共有人一致同意，訂有書面協議，房產共有人對一致同意共有房產抵押負有連帶責任。

書面協議無法成立時，房產共有人得將屬於自己份額的房產進行抵押。

抵押人將自己抵押的份額房產出售時，在同等條件下，其他共有人有優先購買權。

表4　房屋抵押（按揭）貸款程序

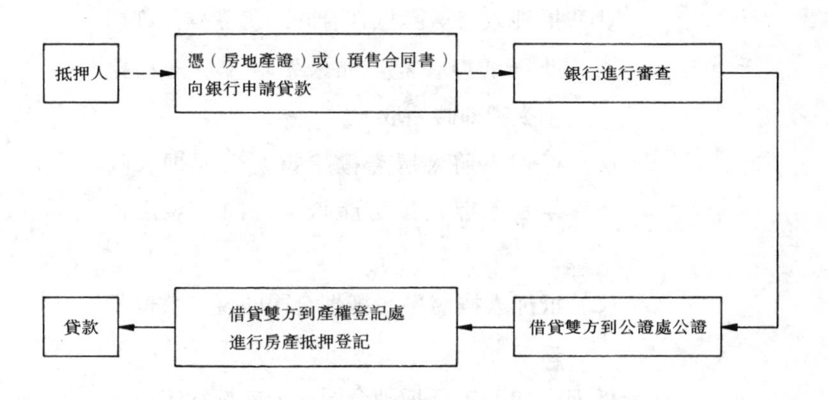

Q：*房產的抵押，以及中港兩地的法律協調問題，有何明確的法律依據？*

A：關於房地產抵押在特區以及一些開放省、市、特區是有規定的，根據有關法律規定，對房產抵押應注意的問題如下：

(1) 抵押人（業主）申請房產抵押時應向房產所在地的銀行辦理。

(2) 房產抵押需備的條件：

(a) 房產買賣合同早已訂立；

(b) 已領到《房屋產權證》業權屬實。

(3) 預售（預購）房產的抵押，應按下列程序進行：

(a) 抵押人和承押人（貸款銀行）簽訂抵押合同；

(b) 抵押人持房產抵押合同到房產登記部門進行抵押登記，如未領取《房產權證書》應即時領取。

(c) 抵押人將《房產權證書》交承押人收存，承押人按房產抵押合同的規定付款；

(d) 抵押人按照房產抵押合同的規定償還貸款本息；

(4) 抵押人如不履行抵押合同或未能按約定還本付息的解決辦法如下；

(a) 抵押人不依照房產抵押合同規定償還本息，承押人有權拍賣抵押房產；

(b) 承押人拍賣抵押房產前，須通知抵押人並限定搬遷日期，其搬遷日期自抵押人接到通知之日起計，不少於 30 天。

抵押人逾期不遷出，承押人依法向人民法院申請執行，承押人因此而蒙受的損失由抵押人賠償；

(c) 抵押人如將抵押的房產租給他人，應事先徵得承押人同意。

(5) 抵押房產的拍賣，承押人可自行拍賣或委託物業代理公司拍賣。

(6) 承押人拍賣抵押房產所得的價款，按以下情況分配：

(a) 償付因拍賣抵押房產而支付的一切費用；

(b) 支付稅款；

(c) 扣還抵押人所欠的貸款及應付的利息；

(d) 扣除上述三項款項後，如有餘款，承押人應將餘款交付抵押人，如所拍賣房產的價款不足以償還貸款本息、費用等，承押人有權另行追索。

目前，房地產買賣、抵押等中港兩地法律尚未有協調的規定，一般通過中港兩地律師代理，以便對房地產買賣、抵押等協調。

Q：*因債務關係而發生房屋典當、抵押情況時，應注意哪些法律問題？*

A：因債務關係而發生房屋典當，抵押的，雙方當事人應簽訂典當、抵押合約，應在合同生效之日起 30 天內，持原《房屋所有權證》和債權債務的合同，申請辦理他項權利登記。

Q：*房產抵押貸款的程序如何？*

A：辦理房產抵押貸款時，可按下列程序進行：

（1）在設定抵押權時，當事人應委託評估機構對抵押物進行估價。估價機構對樓宇的折舊、座落、裝修、朝向，等進行評估後，決定估價值，開出《物業估價報告書》；

（2）持《房地產證》、《物業估價報告書》及貸款申請書向銀行提出抵押貸款，由銀行審查是否放貸。當雙方對估價值有爭議時，可向當地政府估價部門申請，要求最終評估及裁定；

（3）若銀行同意放貸，雙方簽訂《抵押貸款合同書》；抵押人應將《房地產證》交銀行保管。

（4）將《抵押貸款合同書》送公證處進行公證；直到清還本息為止；

（5）到當地的房地產權登記處辦理抵押物登記；

（6）若當事人認為有需要辦理抵押房屋保險，則應由抵押人向保險公司投保，在抵押期間，抵押權人是保險賠償的第一受益人，享有從賠償金中收回抵押人應償還貸款本息的權利。

Q：*簽訂《抵押貸款合同》後，應注意哪些事項？*

A：首先，抵押人有權按時獲得貸款。如果抵押銀行未按合同的約定給付貸款，它應當負責賠償抵押人因此而受到的實際經濟損失。而抵押人也應按合同規定之用途使用貸款，否則抵押銀行有權提前收回貸款，並處以罰息。另外，抵押銀行有按期獲得抵押人償還本息的權利，若抵押人因無力償還或拒絕償還本息，以及抵押人解散、破產或被依法撤銷時，銀行都有權處分所抵押房屋。如抵押銀行接管房屋，因過失或損壞房屋則負有賠償抵押人因此受到損失之責任。以上是抵押貸款雙方應負擔的權利和義務。

另一方面，抵押人在得到抵押銀行的書面同意後，可以將抵押房屋租售、贈與或抵押。

5

房屋租賃

5 房屋租賃

5.1 房屋租賃必須依法簽訂房屋租賃合同，合同的內容由雙方當事人協商擬定，其內容應包括：

5.1.1 房屋的座落（位置）、面積、裝飾、設備；

5.1.2 房屋的用途；

5.1.3 租賃期限；

5.1.4 租金數額及繳交辦法；

5.1.5 提前解除合同的條件和應負的責任；

5.1.6 違約責任；及

5.1.7 其他雙方認為必要的事項。

5.2 房產共有人對房屋租賃合同必須協商一致，訂有書面協議，並負有連帶責任。

無法達成書面協議時，房產共有人得將屬於自己份額的房產進行租賃。但進行房產租賃前，房產共有人必須進行房產分割，並訂立分割房產合同。

5.3 房屋承租人在徵得房產業主同意後，可將所租入的房屋租給他人。房屋轉租的租期，不得超過租約限期。

5.4 出租人在以下任何一種情形下，可以提前解除租賃合同；

5.4.1 出租人因不可預見的原因，確有需要取回該房屋；

5.4.2 承租人違約地改變房屋的用途；

5.4.3 承租人不按合同規定期限繳納房租，遲延時間超過 3 個月的；

5.4.4 承租人在未徵得房產主同意前，便將所租入的房屋轉租予他人；

5.4.5 承租人損壞房屋或設備不維修、不賠償的；及

5.4.6 房屋發生重大損壞，有傾倒危險而須改建並確有證明的。

5.5 承租人在以下任何一種情形下，可以提前解除房屋租賃合同：

5.5.1 承租人已建有（購有）房屋，

無須繼續租賃他人房屋的；

5.5.2 承租人全家已遷出租賃房屋居住地；及

5.5.3 房屋發生重大損壞，有傾倒危險，而出租人不進行修繕的。

5.6 出租人依照上述 5.4.1 項收回房屋的或者按 5.4.6 項收回房屋的，而無正當理由在 3 個月內未動工改建的，應賠償承租人因遷出所受的損失；

承租人如按照上述 5.5.1 或 5.5.2 項提前解除房屋租賃合同，應賠償出租人因此所受的損失。

5.7 出租人收回危房改建後，如仍出租，原承租人有優先承租權。

5.8 承租人依約繳納房租，出租人無正當理由而拒絕收受時，承租人可向有關公證機關申請給予證明，以免除其延遲責任。

5.9 出租房屋修繕，由出租人負擔；如因承租人故意或過錯造成的損失，應由承租人負擔。

5.10 房屋租賃當事人一方要解除租賃合同時，須提前書面通知對方，民用定期的提前 1 個月，不定期的提前 2 個月、工商業房屋租賃一般提前 6 個月書面通知對方。

5.11 租賃合同解除後，如承租人逾期不遷出，出租人可按《中華人民共和國民事訴訟法》規定，向有管轄權的人民法院申請執行，出租人因此所受的損失由承租人負責賠償。

5.12 房屋出租，不妨礙房屋產權轉移；房屋產權轉移後，房屋租賃合同繼續生效，新、舊房產業主應聯名以書面通知承租人。

租賃房屋出售時，承租人在同等條件下有優先購買權。

表5　房屋租賃程序

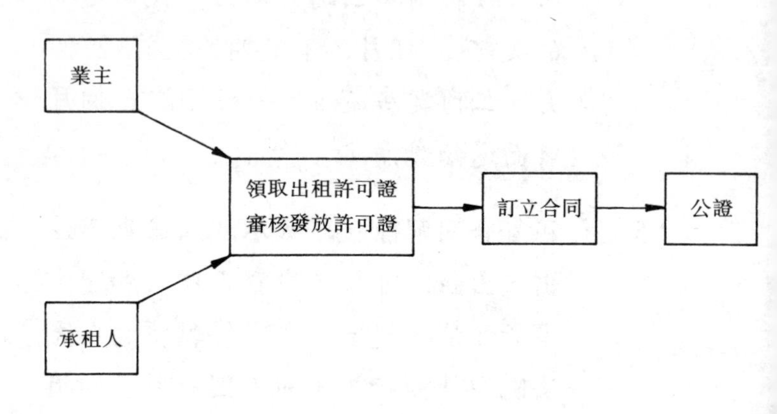

表6　房屋租賃管理示意圖

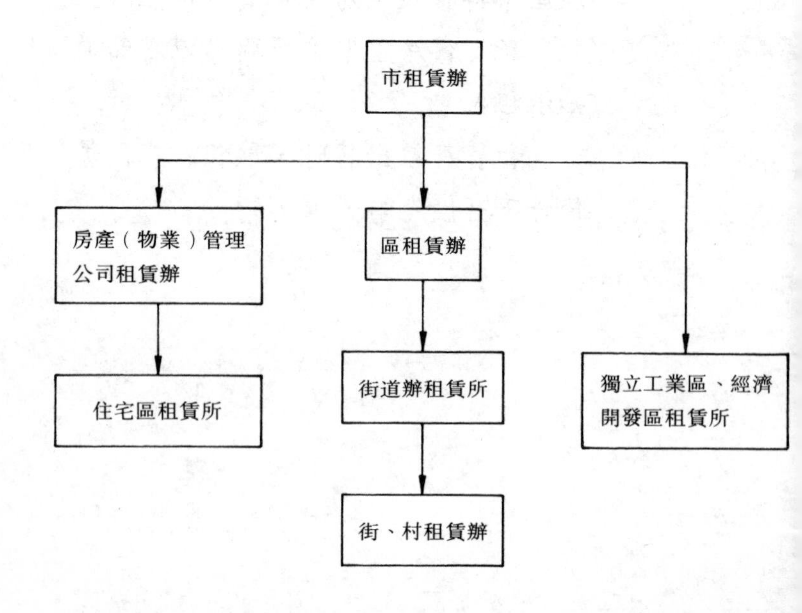

Q：*租賃物業的手續及政府對出租者徵收的稅費是怎樣的？*

A：當業主領有《房地產證》後，政府是允許其將物業出租給其他人使用的。但已如樓宇的轉賣一樣，現時國內除深圳有一套較完備的制度外，其他地區還未擬有這方面的法例。現時在深圳如果想將物業出租，正常的手續是事先往深圳的租賃辦公室登記，領取出租許可證後，然後將物業出租。

業主找到租客後，可以私下與租客訂定租賃合同，而不須通告政府，租金也不需抽任何稅費，但這必須事先與租客商量好，不將事情張揚，否則，政府一經發現，就會向業主追討有關稅費。

至於政府向業主徵收的稅費，可參閱表 7 及以下案例：

表 7　深圳特區房地產租賃應納稅費

稅（費）種類		稅率	稅（費）計算法	納稅交費義務人	備註
營業稅		3%	租賃收入 × 3%	企業	指企業租賃營業收入
印花稅		0.01%	租賃金額 × 萬分之 1	立合同人	
房產稅		18%	租金： × 18%	出租人	
所得稅	個人調節稅	20%	（租金 − 房產稅）×（1 − 20%）× 20% = 租金 × 13.12%	同上	指私人房屋出租
	個人所得稅	10%	（租金 − 房產稅）×（1 − 20%）× 10%	同上	適用於外國人、港澳台人士、華僑
	企業所得稅	15%	（租金 − 房產稅）×（1 − 20%）× 15% = 租金 × 9.84%	同上	適用於單位
公證費		0.3%	合同價格 × 0.3%	雙方商定	
租賃管理費		5%	租金 × 5%	出租人	適用於私人房屋租賃

【案例】

甲以月租 3,000 元將物業租給乙，政府抽的各項稅費如下：

① 印花稅：$3{,}000 \times 0.01\% = 0.3$元
② 房產稅：$3{,}000 \times 18\% = 540$元
③ 個人調節稅：$(3{,}000 - 540) \times 80\% \times 20\% = 393.6$ 元
④ 個人所得稅：$(3{,}000 - 540) \times 80\% \times 10\% = 196.8$ 元
⑤ 企業所得稅：$(3{,}000 - 540) \times 80\% \times 15\% = 295.2$ 元
⑥ 公證費：$3{,}000 \times 0.3\% = 9$ 元
⑦ 租賃管理費：$3{,}000 \times 5\% = 150$ 元

除①、⑥沒規定由哪一方支付外，其餘均由業主支付，但①、⑥的數額很少，哪方付也無妨，假如全部稅費均由業主負擔，則政府的稅費佔的百分比為：

$$\frac{1{,}584.9}{3{,}000} \times 100\% = 52.8\%$$

個人所得為 47.2%。據悉，現在深圳政府已草擬法例，將個人所得規定為租金的 10%。

6

房產登記

6 房產登記

6.1 商品房產業主須按下列規定向物業所在的房產登記機關進行登記：

6.1.1 確定產權登記，由房產業主申請確定房產權，領取《房產權證書》；

6.1.2 轉移登記；由房產權轉移者的雙方當了進行登記而遺贈、繼承登記可由受贈人或繼承人出具證明單獨辦理；

6.1.3 變更登記：房產權因房屋擴建、拆除、分割、合併等而變更，由房產業主申請登記，其變更涉及其他關係人的，須同關係人辦理；

6.1.4 其他權利登記：房產設定優惠權、抵押權、地投權（通行權）等項權利的登記，由權利人會同義務人申請登記。

6.1.5 更正登記：因房產業主所持的

《房產權證書》與實際情況不符或因遷移地址、更換門牌等有更正之必要，由房產業主辦理申請登記，以及

6.1.6 注銷登記：房產權因房產被自然災害破壞或拆除而消失，所享有其他權利因約定時效屆滿而消失，均由房產業主或權利人和關係人申請注銷登記。

6.2 房產登記，須繳驗下列證件：

房產業主申請登記，須繳驗下列證明文件：

6.2.1 申請登記書；

6.2.2 申請人的身分證明文件；及

6.2.3 取約變更、轉移、登記房產權的全部證件。

6.3 房產登記委託他人代理，需有經公證的委託代理證明文件。

申請者如屬法人，可由其代理人辦理登記，但須繳驗法人證明文件（如註冊證書或工商登記證）。

6.4 房產業主在登記後所領得的《房產權證書》，如有毀壞、遺失，即向房產

登記部門報失，並申請補發。

6.5 業主及權利人自取得各項房產權利之日起3個月內，必須向房產登記機關辦理登記手續，如超過半年不辦理房產登記，政府有權代管；按規定：代管3年仍不辦理登記者，視為無主房產，由房管機關提請司法機關依法處理；

6.6 商品房產所佔用土地使用期滿，業主應向所在地的國土局申請延長土地使用，按規定：超過半年不申請的，該房屋（上蓋）參照上述6.5項處理。

表8　房地產確權登記程序

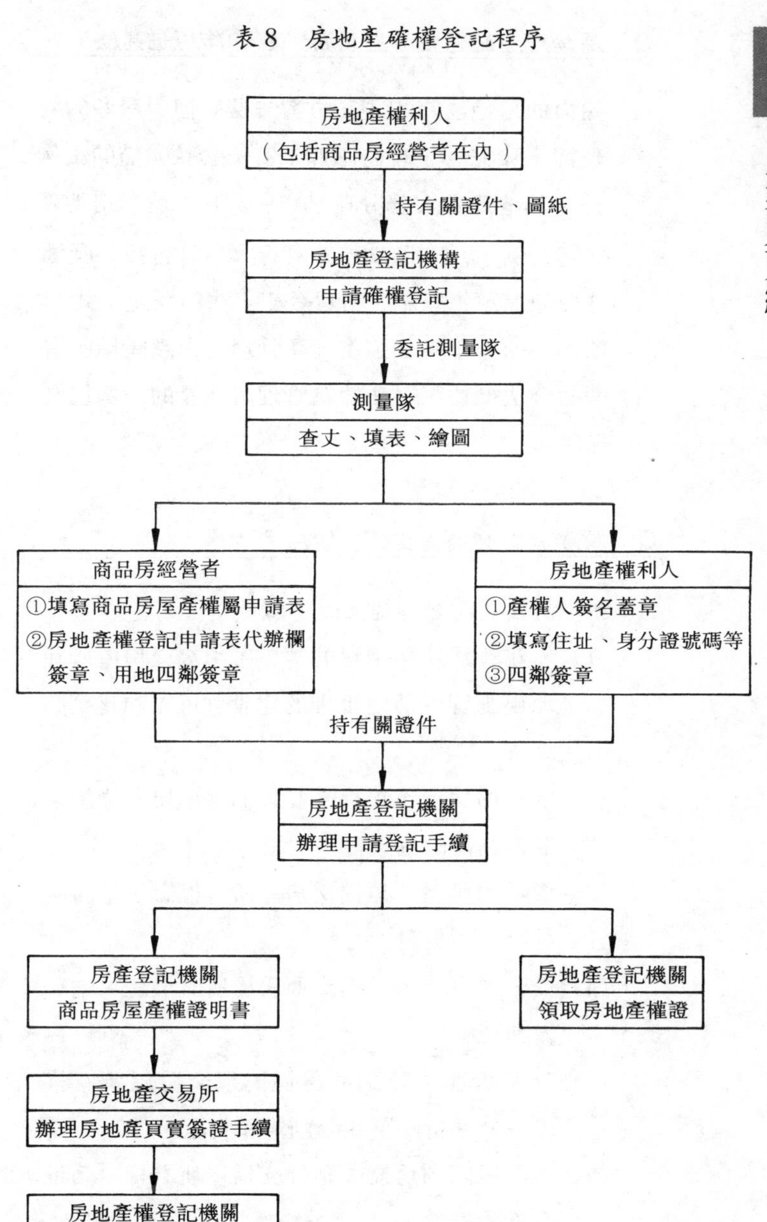

Q：*房地產登記包括哪些項目？它的作用是甚麼？*

A：國內的房地產市場現正方興未艾，但對房產的管理卻未臻完善，現時除深圳有一套較完備的法例外，其他地方大部分還是空白一片，就以房地產登記為例，只有深圳特區實行，項目包括：產權總登記、預售登記、租賃登記、注銷登記，共 4 項。它的作用是加強房地產管理，保護產權所有者的合法權益，以法律為管理房地產的一個重要保障。

Q：*房產登記必須提交哪些證件？*

A：辦理房產登記必須提交以下證件：

(1) 新建、翻建和擴建的房屋，須提交房屋所在地規劃管理部門批准的建設許可證和建築圖紙；

(2) 購買的房屋，須提交雙方的房屋所有權證，雙方簽訂的協議書和契證；

(3) 繼承的房屋，須提交房屋所有權證，遺產繼承證件和契證；

(4) 受贈的房屋，須提交原房屋所有權證，贈與書和契證；

(5) 分家析產、分割的房屋，須交房屋所有權證、分家析產單或分割單和契證；

(6) 獲准拆除的房屋，須提交房屋所有權證和批准拆除證件。

Q：*房產登記應通過哪些程序？*

A：房屋登記應通過以下程序：

(1) 申請人按規定提交申請書和有關證明材料，經房管機關初審合格的，開具收件收據；

(2) 需進行查丈的，由房管機關派員會同申請人到現場查丈；

(3) 經複審申請事項屬實，手續完備的，便給予登記；

(4) 發給有關證書，收繳注銷舊證書；

(5) 按規定收登記費和查丈費，對逾期登記者每月加收取 20% 的登記費。

Q：*在甚麼情況下，房屋可以暫緩登記？*

A：按照中國法律規定，對以下情況的房屋可暫緩登記：

(1) 房屋所有權發生糾紛而尚未解決完畢的；

(2) 違章建築而未經處理；

(3) 房屋所有權不清或證件不同的；

(4) 房屋所有權人下落不明又無合法代理人，由房管機關代管的 或

(5) 其他需要暫緩登記的。

Q：*在甚麼情況下，會被房產管理機關撤銷房屋登記或吊銷有關房屋所有權證書？*

A：出現以下情況者，房管機關查實後得撤銷房屋登

記或吊銷有關房屋所有權證書，已繳付費用不予退還；

（1）代理人申請房屋登記時故意隱瞞真實情況的；
（2）以假姓名申請登記的；
（3）塗改、冒領《房屋所有權證》或其他有關證明、證件的；
（4）用非法手段申請登記，侵佔他人房屋的；
（5）經人民法院判決、撤銷房屋登記或吊銷房屋所有權書的；
（6）其他有吊銷《房屋所有權證》或撤銷登記必要的。

Q：*港、澳、台人士、華僑怎樣辦理在國內的私有房屋所有權的登記手續？*

A：房屋所有權人可持有關證明文件，到房屋所在地的房管機關辦理登記。房屋所有權人居住在香港、澳門、台灣或僑居國外，不能親自登記的，可以通過書面函件（包括親筆簽署的授權委託書、身分證複印件，到當地公證機構公證、領使館辦理委託的公證認證手續。港澳台地區，則可由中國司法部承認的律師給予公證後，到中國法律服務（香港）有限公司辦理加章轉遞。

二

投資發展編

7

土地開發、出讓

7 土地開發、出讓

7.1 根據中華人民共和國法律規定，土地是屬於國家所有和集體所有，任何單位、個人，不能將國有土地或集體所有土地的所有權轉讓、抵押或出租。國有土地由國家統一領導、分級管理，授權國土局擁有管理土地，行使使用、佔有、處分的權利，同時負有保護國有土地不受損失的義務；集體所有土地是集體組織所有，集體組織對其佔有、使用和處分的權利。

7.2 土地的開發

為了吸引外商投資從事開發經營成片土地，以加強公用設施建設，改善投資環境，引進外商投資先進企業和產品出口企業，發展外向型經濟，中華人民共和國國務院於 1990 年 5 月19 日頒發《外商投資開發經營成片土地暫行管理辦理》成片開發土地應注意的問題如下：

7.2.1　應有所在地縣以上制成片開發項目建議書（即初步可行性研究報告）。

7.2.2　外商投資成片開發，應分別依照《中華人民共和國中資合作經營企業法》、《中華人民共和國中外合作經營企業法》、《中華人民共和國外資企業法》、的規定，成立從事開發經營的中外合資經營企業或者中外合作經營企業或者外資企業。

7.2.3　開發企業受中華人民共和國法律的管轄和保護，其一切活動應遵守中華人民共和國法律、法規。

7.2.4　開發企業依法享有自主經營管理權，但在其開發區內沒有行政管理權，開發企業與其他企業的關係是平等的商務關係。

7.2.5　開發企業依法所取得土地使用權，與所在的縣、市國土局簽訂出讓土地使用權合同。

7.2.6　土地使用權取得後，其地下資

源及土地所有權仍屬國家所有，如開發利用，應遵照國家有關法律和行政法規管理。

7.2.7 開發企業的開發規劃或可行性研究報告，經縣市審核後報省、市、自治區、直轄市人民政府審批。

7.2.8 開發企業土地使用權轉讓的條件；

（1）已實施成片開發規劃；及

（2）已達到出讓國有土地使用權合同的規定的條件。

7.2.9 開發區域接引區域外水、電等資源的，只由地方公用事業企業經營。

7.2.10 開發區域地塊範圍及海岸海灣或任何建港區段的岸線由國家統一規劃和管理。

7.2.11 開發區域的行政管理、司法管理、口岸管理、海關管理，分別由國家有關主管部門，所在的地方人民政府和有管轄權的司法機關組織實施。

7.3 土地使用權出讓

7.3.1 土地使用權出讓，必須由土地使用者與國土局簽訂土地使用權出讓合同，明確出讓人（國土局）與承讓人（土地使用者）的權利與義務。

7.3.2 出讓合同應包括土地用途（其用途是否適合所投資項目）、使用年限（是否與投資項目年限一致）、地價、投資總額、投資期限，土地利用的要求、規劃設計要求，土地使用附帶條件以及違約責任等內容。

7.3.3 土地使用者必須按出讓合同規定的期限和方式向國土局繳付的地價款，按法律規定逾期未繳付的，國土局有權解除出讓合同，按規定：國土出讓合同生效之日向國土局繳付 10% 的定金，餘款應在合同生效之日起 60 天內全部付清，否則國土局有權解除合同，已收定金不予發還。

國土局未按出讓合同規定

提供土地使用權的，土地使用者有權解除國有土地出讓合同，並可請求違約賠償。

7.3.4 土地使用者為保障其土地使用權，按規定：付清地價後，應在 30 天內向登記機關辦理登記，領取土地使用證。

7.3.5 土地使用者必須按國有土地出讓合同規定的土地用途和規劃要求，如未經國土局批准擅自改變土地的用途，將會被檢控，罰款直至取消國土出讓合同。按規定：改變土地出讓合同規定的土地用途和規劃要求的，必須事先向國土局提出申請，經審查批准後，重新簽訂出讓合同或補充合同（修改合同）並按規定補足地價款後，並在 30 天內辦理變更登記後方可改變原出讓合同土地用途和規劃的要求。

7.3.6 土地使用者必須按出讓合同規定期限投資建設。否則，會被國土局解除合同，經政府批准後可收回土地使用權。

7.3.7 投資者還應注意審批權限，使用耕地 1,000 畝以下，其他土地 2,000 畝以下，得合開發投資額在省、自治區、直轄市人民政府審批的成片開發項目，其項目建設書，應經省、自治區、直轄市人民政府審批。

使用耕地超過 1,000 畝，其他土地超過 2,000 畝，或綜合開發投資超過省、自治區、直轄市審批權限的成片開發項目，其項目建議建書應經省、自治區、直轄市人民政府報國家計劃委員會審核和綜合平衡後，由國務院審批。

表9　協議出讓土地使用權程序

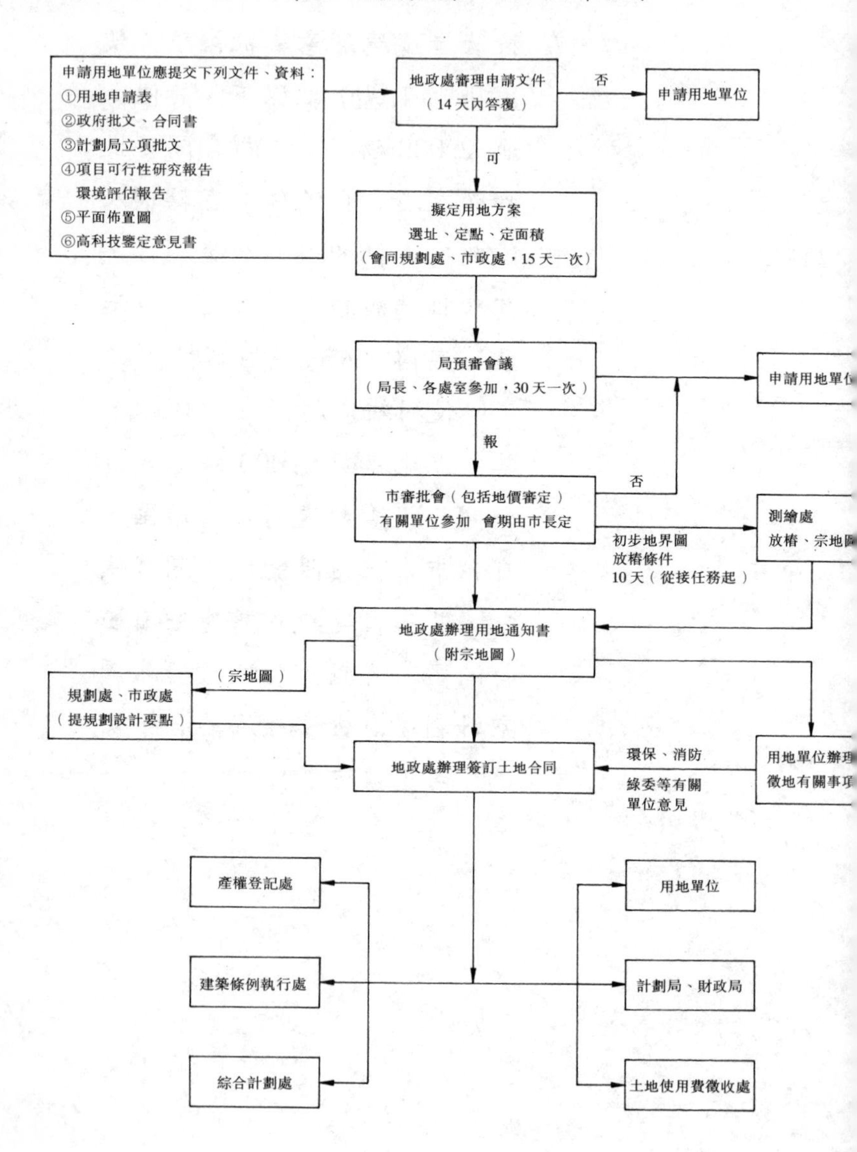

表 10　房地產發展商應納稅款

房地產開發企業應納稅費（二級房地產市場）			
稅（費）種類	稅（費）率	稅（費）計算方法	備註
營業稅	3%	銷售額 × 3%	
城市維護建設稅	0.03%	銷售額 × 0.03%	
企業所得稅	15%	所得額 × 15% 所得額 = 經營收入 – 成本 + 營業外收入淨額 –（營業稅 + 城市維護建設稅 + 房產稅）	
國家能源交通重點建設基金	15%	（所得額 – 所得稅）× 15%	外資企業不納稅
國家預算調節基金	10%	（所得額 – 所得稅）× 10%	同上
印花稅		建設工程勘察設計合同：費用 × 萬分之 5 建築安裝工程承包合同：承包金額 × 萬分之 3 借款合同：借款金額 × 萬分之 0.5	
產權登記費	1‰（或 0.1 %）	轉讓額 × 0.1%（最高 150 元）	
轉讓費	增值額超過前次轉移地價 1 倍以下部分按 40%； 1 至 2 倍部分按 60%； 2 至 3 倍部分按 80%； 3 倍以上部分按 100% 交納。	轉讓費（土地增值額）=［售價 – 基本價格（成本 + 計劃利潤 + 銷售營業稅）］× 轉讓費費率。	

Q：*目前國內通過哪幾種方式有償出讓國有土地？以協議方式出讓土地使用權包括哪些範圍？*

A：目前國內國有土地使用權採取協議、招標方式有償出讓，用地單位和個人必須與有管轄權的國土局簽訂土地使用合同。以協議方式出讓土地使用權的範圍有：

(1) 國家興建的福利住宅用地；

(2) 國家機關部隊、文化、教育、衛生、體育、科研和市政公共設施的非營利性用地；

(3) 高科技項目用地；

(4) 國內商品房屋用地；

(5) 涉外商品房屋用地；

(6) 政府批准的其他用地。

8

土地使用權轉讓

8 土地使用權轉讓

8.1 **一般可通過協議、招標、拍賣取得土地使用權，取得土地使用權是否馬上可以轉讓？**應該說是可以，但要具備以下條件才能依法轉讓。

8.1.1 持有國土使用證：客商投資地產必須了解原土地使用者是否持有國有土地使用證？否則，即使簽訂土地使用權轉讓合同也無法保證土地使用權。

8.1.2 原土地使用者已繳清地價款。

8.1.3 已投入土地的開發建設資金已達合同規定不少於總投資額的25%。

8.1.4 被轉讓使用權的土地是否有潛在物，如有潛在物一般要了解是甚麼潛在物，是否影響項目建設計劃。

8.1.5 如土地使用權屬中外合資企業、中外合作企業，設有董事會，應有董事會決議，否則土地使用權之轉讓便無效。

8.2 土地使用權轉讓在簽訂土地使用權轉讓合同之日起 15 天內，向有管轄權的國土局辦理變更登記，繳納土地使用轉讓費。

8.3 土地使用權轉讓時，該土地發生增值的，轉讓人應向政府繳付土地增值費，土地增值費一般按當地政府規定。

8.4 土地使用權轉讓後，受讓人必須履行原土地使用權出讓合同規定的業務。

8.5 土地使用權轉讓價格要合理，不宜過高或過低；按規定：土地使用權轉讓明顯低於市價的，政府可按出售價優先購買，如價格上漲時，政府有權採取抑制上漲的措施。

Q：通過協議方式取得土地使用權的單位和個人在有償轉讓房地產時應辦哪些手續？

A：通過協議方式取得土地使用權的單位和個人在有償轉讓房地產時應辦以下手續：

(1) 申請人向有管轄權的國土局提交以下文件；
   (a)《協議出讓土地使用權申請書》；
   (b) 經政府批准興辦企業的文件；
   (c) 經政府批准的建設項目計劃（設計）任務書；
   (d) 如屬高科技項目還應提交科學技術委員會簽發項目的鑒定意見書；
   按規定可減免地價的，應在《協議出讓土地使用權申請書》申請。

(2) 有管轄權的國土局在接到上述申請文件之日起 30 天內作覆，同意的應向申請人發出《用地通知書》；

(3) 申請人持《用地通知書》到國土局協商用地事宜；

(4) 用地單位和個人在簽訂土地使用合同之日起 30 天內到房地產登記處辦理用地登記，領取《土地使用權證書》和《房地產證書》。

Q：訂立"土地使用權出讓合同"、"土地使用權轉讓合同"需要注意哪些法律問題？

A：為保證合同雙方的合法權益，避免不應有的損失，在簽訂土地使用權出讓合同和土地使用權轉讓合同時應注意以下法律問題：

(1) **合同主體必須有合法資格。**簽訂土地使用權出讓合同及土地使用權轉讓合同的雙方當事人必須符合以下資格：

(a) 土地使用權出讓合同的出讓方必須是有管轄權的國土局。如出讓人不是國土局或無管轄權的國土局所簽的土地使用權出讓合同，均屬無效。

(b) 合同雙方當事人必須是依法成立法人，均具有獨立財權，能以自己名義取得財產權利，承擔義務，並在法院起訴、應訴依法成立的法人。如所簽該類合同的主體，法律關係不明確，合同當事人並非法人，其所簽的合同便屬無效。

(c) 合同主體需享有土地使用權，但未經政府主管部門批准，無轉讓其土地使用權的法人不能簽訂土地使用權轉讓合同。中國土地法規明確規定：機關、部隊、文化教育、衞生、體育、科研和市政公共福利設施等經國家調撥的土地是非經營性用地，未經批准和補交地價和土地使用費是不能轉讓其土地使用權，即使簽訂土地使用權轉讓合同也是無效的。

(d) 有土地使用權的法人如設有董事會，應有董事會通過決議轉讓其土地使用權，合同應由董事長簽署或經董事長授權代表簽署的土地使用權轉讓合同才生效，否則無效。

(2) 簽訂合同雙方的權利與義務對等。訂立土地使用權出讓或轉讓合同時必須貫徹平等互利、協商一致、等價有償原則。土地使用價格要合理，不宜過高或過低，應參照地產市場價格，合同雙方的權利與義務均應明確規定，而且有履約的保證條款，而另一方義務多於權利，無保證條款，都是權利與義務不對等，顯失公平，所簽的合同也難以執行。

(3) 土地使用權出讓和轉讓合同必須適用中華人民共和國法律，合同中不能違反房地產法規。轉讓方或出讓方不僅有土地使用權證書，而且已依法辦理登記，繳交出讓金，補足地價款，如屬土地使用權轉讓，應按規定已投入開發建設資金不少於總投資額的25%。

如改變土地用途，還要經過國土局及計劃部門批准後方能簽訂土地使用權轉讓合同。

(a) 必須在合同中明確規定，適用中國房地產法律，明確法律責任：

①合同應明確規定，遵守中華人民共和國法律、法規，合同應有按照國土、城市規劃、建設、房管等政府主管部門的要求，開發、利用、經營的條款；

②注意有沒有未經批准、隱瞞、串通壓價等不正當手段取得土地使用權，而

簽訂土地使用權轉讓合同；

③合同規定的轉讓人、土地用途、方位、使用年期等均應與土地使用證相符；使用年限和面積均不得超過土地使用證規定的年限和面積；

④凡涉及國家主權的軍事用地、機場、口岸、海、陸、空、交通或關卡範圍，土地使用權不能轉讓，不能簽訂該類土地使用權出讓或轉讓合同，即使簽訂也是無效的；

⑤土地使用權出讓合同和轉讓合同應注意資源不能轉讓，因土地資源歸國家所有，如經政府批准的，開發資源必須另簽資源開發合同，並依法向國家繳納資源費。

(b) 該類合同不能訂立與國家土地、稅項法規相牴觸的條款，合同無權規定和承諾減免土地使用費或減免稅項；

(4) 應有合法的限制性條款。土地使用權出讓合同和轉讓合同均具有一定的傾斜性，土地是國家所有，國家授權國土局依法佔有、使用、處分，而一般土地使用者只有土地使用權而無佔有處分權。國家根據建設需要，可依法徵用。根據中華人民共和國《城鎮國有土地使用權出讓和轉讓暫行條例》規定，土地使用權期滿，土地使用權及其地上建築物，其他附着物所有權由國家無償取得。土地使用者應交還土地使用證，並依照規定辦理注銷登記。受讓人連續兩年不按規定投資時，政府主管部門國土局有權解除土地使用權出讓合同，收回土地使用權。因此，在協商、草擬土地出讓合同和土地使用權轉讓合同，應根據上述規定作出限制性條款，避免與現行法律有牴觸。

（5）**土地使用權轉讓和出讓合同應有保證條款。**為保證合同的執行，避免一方因對合同不執行而引起另一方損失，合同應訂明"自合同生效之日起，向轉讓人或國土局繳付 10% 的定金，餘款在合同生效之日起 60 天內全部付清，否則，轉讓人或國土局有權解除合同，已收定金不予以退還。如轉讓人未能按合同規定期限交付土地使用，承讓人有權收回已交的定金及其利息，並要求賠償。

（6）**仲裁條款。**合同雙方當事人發生爭議時，應盡量通過友好協商，如協商或調解無效，則提請中國經濟貿易仲裁委員會仲裁。目前中國仲裁委員會在北京、深圳設有，故合同中應寫明在北京還是深圳仲裁，如只寫中國仲裁機構仲裁，只能在北京仲裁，不能在深圳仲裁。合同不能在提請中國仲裁機構仲裁的同時又向法院起訴，該條款違反中國民事訴訟法，應是無效的，中國法院一旦發現仲裁條款也會依法不受理。

9

外商投資企業取得用地方式

9 外商投資企業取得用地方式

9.1 外商除了以協議、招標、拍賣等方式取得土地使用權外，還可以通過投資企業取得土地使用權。投資企業取得土地使用權應注意以下的問題。

9.2 外商可持政府批准的項目建議書，向所在地縣級以上國土局預約用地登記並支付預約金，由所屬的國土局統計、計劃、外貿、城市（鎮）分別規劃、環境、保護等部門選定地塊，核發土地使用預約證書。

9.3 投資外商必須按預約用地期限使用批准用地。按規定：用地期限為一年，如延長預約期限，需在期滿 10 天前申請，逾期不辦理申請延長手續的，視作自動放棄預約，已支付的預約金不予歸還。

9.4 外商投資企業批准成立後，一個月內持批准書向有管轄權的國土局與外商投資企業簽訂土地使用合同，並按規定領取土地使用證。如需要徵用集體所有土地的，由縣以上政府統一徵地。

表 11　建設用地審批程序

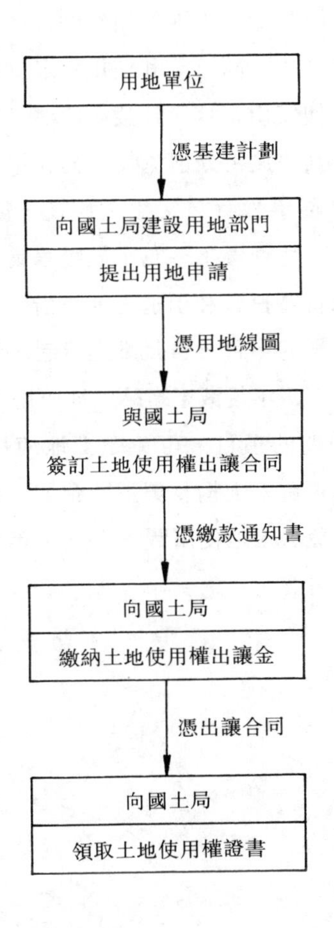

Q：*外商來特區投資，土地使用方面有哪些優惠？*

A：特區可以滿足投資者需要的用地，並根據不同的用途，確定最長的使用年限：工業 30 年；商品住宅 50 年；教育、科學、衞生項目用地 50 年；旅遊業 30 年；種植業、畜牧業、養殖業 20 年。期滿後，如需要繼續經營，經特區主管部門批准，可以續約。土地使用費的標準，根據不同地區的條件，不同行業和使用年限分類，確定給予優惠。如使用荒坡、丘陵、沼澤等未經開發的土地，按其用途，分別免收 1 至 5 年土地使用費，對投資從事教育、文化、科技、醫療衞生事業者，給予特別優惠。為了鼓勵華僑、港、澳、台人士來特區投資和引進先進技術，對於具有世界先進水平的項目，自批准之日起，免繳土地使用費 5 年，5 年後減半繳納土地使用費 3 年。技術特別先進的項目，可免繳土地使用費。華僑、港、澳、台人士捐款興辦的企業，從批准用地之日起，免繳土地使用費 5 年，5 年後再減半繳交土地使用費。

10

土地使用權出租、抵押

10 土地使用權出租、抵押

土地使用權出租

10.1 土地使用權或土地使用權連同地上建築物，其他附着物出租，出租人與承租人應簽訂租賃合同，並在合同生效之日起20天內辦理租賃登記。

10.2 土地使用權出租後，出租人必須繼續履行土地使用權出讓合同。

10.3 凡未按土地使用權出讓合同規定的期限和條件投資開發，利用土地的，不能簽訂土地使用權出租合同，否則出租合同無效。

土地使用權抵押

10.4 土地使用權或土地使用權連同地上建築物，其他附着物抵押的，抵押人與抵押權人應簽訂抵押合同（即按揭合同），並辦理抵押登記。

10.5 抵押人以有償取得國有土地使用權設

定抵押時，需憑土地使用權證書到所在地銀行抵押。

10.6 抵押貸款合同簽訂之日起 15 天內，抵押人、抵押權人（即承押人），須到有管轄權的國土局辦理抵押登記。

10.7 抵押貸款合同期滿，抵押人依約償還貸款本息，抵押合同終止後，抵押人應於終結之日起 10 天內持抵押權人出具的債務清償證明到有管轄權的國土局辦理注銷抵押登記。

10.8 因處分抵押財產取得土地使用權，應於取得 10 天內到有管轄權的國土局辦理產權轉移登記。

Q：*"土地證書是甚麼？土地證書的頒發有哪些程序？*

A：土地使用證書是土地所有權或土地使用權的法律證件。合法的土地所有權和使用權均受國家法律保護。土地證書分為《集體土地所有證》、《國家土地使用證》、《集體土地建設使用證》、和《臨時用地證》四種。

土地證書的頒發程序如下：

(1) 集體土地所有者和土地使用者向有管轄權的國土局提出領證、換證申請，並提供確認土地所有權或使用權的有效證件及土地利用狀況的證明材料（包括圖件）；

(2) 國土局對申報材料進行審核，並進行現場象量繪製地圖。

(3) 經審查符合條件的，則國土局通知其按時領證和換證。

Q：*土地使用權在甚麼情況下必須辦理變更登記？*

A：當土地發生以下變更時，土地證持有者必須在批准之日起30天內辦理變更登記手續：

(1) 部分土地的所有權或使用權發生轉移；

(2) 土地用途發生變化；

(3) 開始登記數據與土地詳查或地藉測量後的數據不符。

Q：*在甚麼情況下，土地證會被吊銷？*

A：若出現以下任何一種情況，經縣級以上政府國土局吊銷其土地證：

(1) 持證者故意隱瞞真實情況；

(2) 以假名稱、假姓名冒領土地使用證；

(3) 擅自塗改土地證書或有關圖件、證明材料的；

(4) 用非法手段領證或換證，侵犯其他單位（個人）的土地所有權或使用權。

(5) 經縣級以上國土局裁定或人民法院判決，撤銷土地登記和吊銷土地證書。

Q：*在甚麼情況下必須更換土地證書？*

A：當土地所有權或使用權全部或大部分轉移，或土地利用的情況發生根本的變化，便應該申請更換土地證書。

11

土地招標、投標、公開拍賣

11 土地招標、投標、公開拍賣

土地招標、投標

11.1 土地招標：它是在指定的期限內，由符合招標條件的單位或個人，以書面投標形式，競投某片土地的發展權。

11.1.1 招標辦法

可以採取公開招標，即由招標機構通過報刊、廣播、電視，發出招標廣告；也可以採用邀請招標，即由招標機構向符合招標條件的單位，發出招標文件。

11.1.2 招標要求：

（1）有明確規劃要求，已完成三通一平（即通水、通電、通道路以及平整土地）；及

（2）應有一個標底，標底由土地招標機構制訂並保存，標底在開標前要嚴格保密。

11.1.3 招標文件：

（1）招標須知；

(2) 土地投標書；

(3) 土地使用合同書；及

(4) 土地使用規則。

11.2 投標：

11.2.1 參加投標的公司須認真查閱招標文件，按《招標須知》規定，填寫《土地投標書》；

11.2.2 做好參加投標的各項準備工作；

11.2.3 投標書要加蓋公司公章及法人代表印鑒，密封後按規定的時間、地點投入招標箱；

11.2.4 投標單位在招標截止日期前，如需修改投標內容的，可以另投修改標，並聲明原標書作廢；及

11.2.5 投標的公司用於準備投標的各項費用，須自行負責。

11.3 招標程序：

11.3.1 按規定土地招標按以下程序進行：

(1) 由招標機構編制招標文件；

(2) 確定參與投標的資格範圍；
(3) 發出拓標公告；
(4) 投標企業購買招標文件；
(5) 招標機構解答投標者提出的問題；
(6) 標書密封投入標箱；
(7) 公開開標、驗標，不符合規定的標書當眾宣告無效；
(8) 評標，確定中標的公司，向中標者發出中標通知書，沒有中標的，也應書面通知投標單位；
(9) 中標者在接到中標通知書之日起15天內，與有管轄權的國土局簽訂土地使用合同；及
(10) 中標者按規定到有管轄權的國土局辦理土地使用權登記手續、領取土地使用權證書。

11.3.2 開標由招標小組組織投標公司及社會有關人士參加，當眾啟封標書，宣布各投標公司的標

價。開標可聘請律師任監證人。

11.3.3 招標機構應對每一個投標書，規劃設計方案進行全面的、充分的評議。招標以單獨出標價形式，一般以價高者得。但如經招標機構評議後，認為所有的標書均沒有達到預期目的，則有權拒絕全部標書。

土地使用權公開拍賣

11.4 土地使用權公開拍賣是在特定時間、公開場合，以及在有管轄權的政府土地使用權拍賣主持人之主持下，競投者手舉國土局統一編寫的應價牌應價，投在一定年期內的土地使用權，價高者得。

11.5 土地使用權的公開拍賣程序：

11.5.1 主持人當眾宣布有關事項：

(1) 簡介拍賣地塊位置、面積、用途、使用年限、公布底價，以及每次應價的數目；

(2) 以舉牌方式應價，競投者

應價時，手舉的牌子不應高出頭；

(3) 價高者得：經過一輪競投追逐，最後舉牌的，經主持人宣布最後的應價數目，而沒有人再舉牌時，主持人一錘敲下，該幅土地使用權由其取得。

11.5.2 價高得者得與國土局簽訂《土地使用權合同》，按《土地使用規則》規定，立即向指定的銀行交付履約定金。

11.5.3 價高得者按國土局通知，辦理土地登記手續，領取《土地使用權證書》。

11.6 委託他人代簽土地使用合同的，必須向國土局提交有效的授權委託書。

11.7 競投者對每一效應價的數額有調整建議的，可舉手示意，經主持人同意後方可表示，採納與否，由主持人決定。

11.8 沒有舉牌而以其它方式應價的無效。

11.9 同一價格，先後應價的，確認先者，如最後應價出自二個競投者同時所為的，主持人可再提出一個遞增價，讓競投人競投。

11.10 價高得者，如不按規定期限交付定金，則由有管轄權的國土局處以罰款。

表 12 招標出讓土地使用權程序

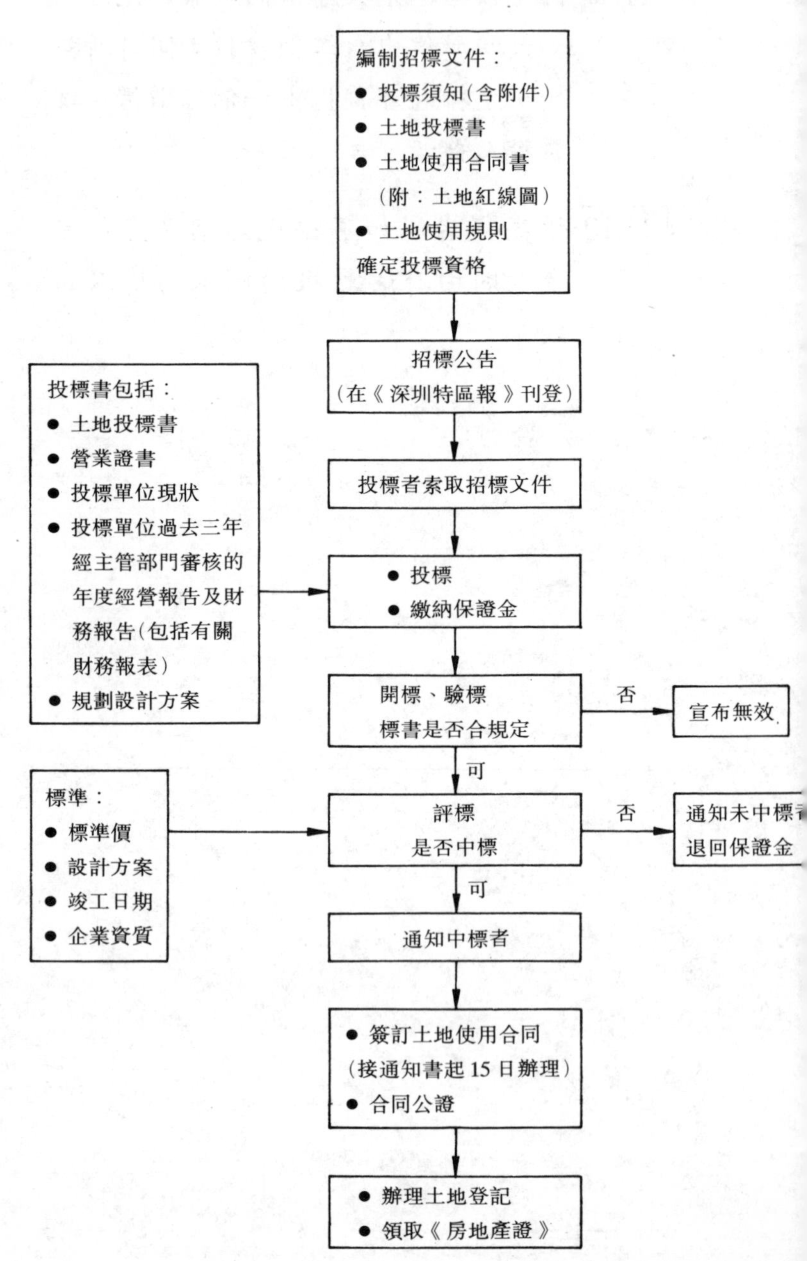

表13　公開拍賣出讓土地使用權程序

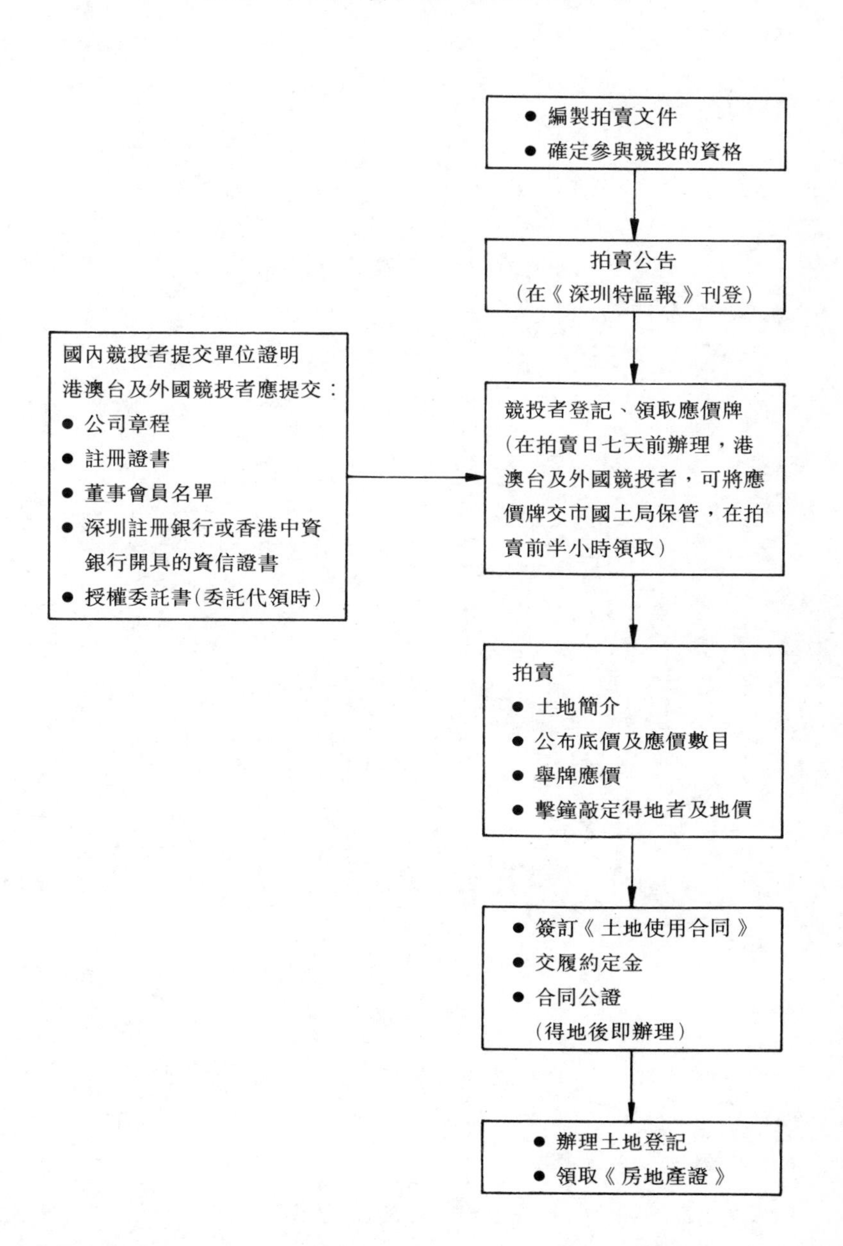

12

綜合法律問題與建議

12 綜合法律問題與建議

12.1 中國房地產是一門新興的產業，隨着改革開放而發展起來。中國目前有關城市規劃、物業管理、物業估值的專業人員，水平還跟不上外向型房地產業發展的需要。就中國外向型房地產值得注意以及待解決的法律問題，提出以下建議。

12.2 制定和頒發外向型房地產業的統一法規，目前，只有一些省、市、特區，個別制定這方面的法規，但卻很不完善。從有利於改革開發，發展外向型房地產業，全國和特區有必要頒發這方面的法規，以便發展外向型房地產時有章可循，有法可依。

12.3 建立外向型單元化、國際化的房地產管理架構，簡化房地產投資程序，加快審批，加強監督管理。

12.4 制定法規，批准銀行參與外向型房地產的融資業務。

12.5 制定外向型房地產的統一稅收法規，包括房地產轉讓交易稅、增值稅等。

12.6 制定外向型房地產物業登記法規，建立外向型房地產的登記機構。

12.7 制定房地產物業估值規定，建立外向型物業評估機構。

12.8 堅決貫徹執行國務院公布的《國有土地使用權批准權限》，避免各縣、鎮以低價亂批地，對涉外房地產市場有計劃地劃出土地對外出讓土地使用權。

12.9 嚴格審批和控制商品房地產（廠房、住宅）對外銷售的數量、外銷經營權限，並由供求市場決定價格。

12.10 加速培訓涉外房地產的專業人才。

表 14 房地產市場結構示意圖

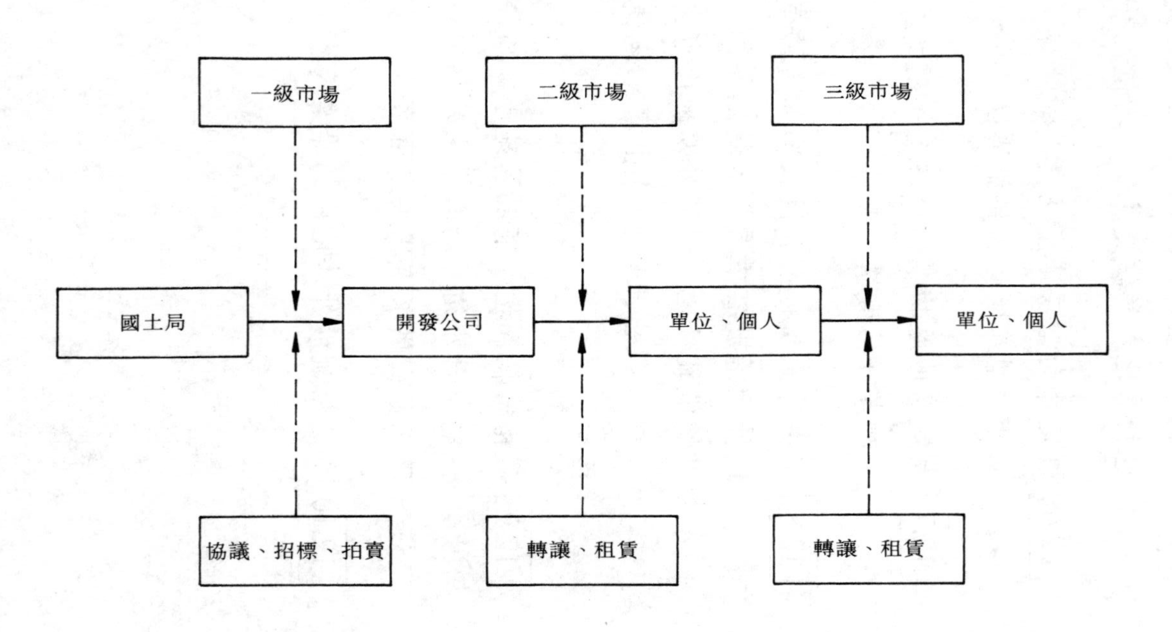

表15　物業評估示意圖

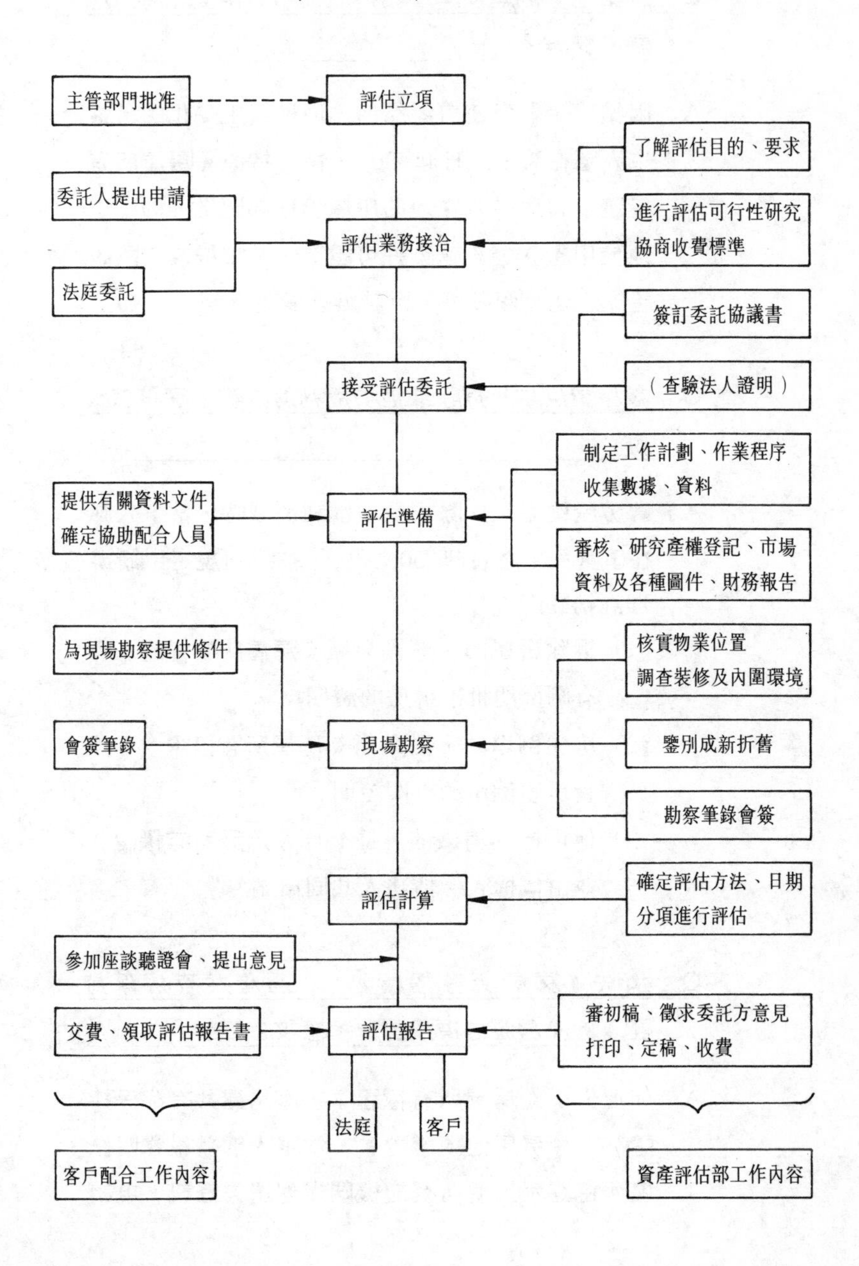
主管部門批准
評估立項
了解評估目的、要求
委託人提出申請
進行評估可行性研究
協商收費標準
評估業務接洽
法庭委託
簽訂委託協議書
接受評估委託
（查驗法人證明）
制定工作計劃、作業程序
收集數據、資料
提供有關資料文件
確定協助配合人員
評估準備
審核、研究產權登記、市場
資料及各種圖件、財務報告
為現場勘察提供條件
核實物業位置
調查裝修及內圍環境
會簽筆錄
現場勘察
鑒別成新折舊
勘察筆錄會簽
評估計算
確定評估方法、日期
分項進行評估
參加座談聽證會、提出意見
交費、領取評估報告書
評估報告
審初稿、徵求委託方意見
打印、定稿、收費
法庭
客戶
客戶配合工作內容
資產評估部工作內容

Q：因擴建、翻建使房屋結構、面積發生變化時，應該怎麼辦？

A：因擴建、翻建使房屋結構，面積發生變化的，當事人應在竣工之日起 30 天內，持原《房屋所有權證》和房屋所在地的房屋管理部門批准的《土地使用證》、《建築許可證》、《工程竣工驗收證》，建築圖紙等，申請辦理變更登記。

Q：當房屋倒塌、拆除或他項權利消滅時，應該怎麼辦？

A：當房屋倒塌、拆除或他項權利消滅時，當事人應在事實發生之日起 30 天內，按下列規定申請辦理註銷登記：

（1）拆除房屋的，應提交原《房屋所有權證》和有關部門批准拆房的證明：

（2）房屋倒塌的，提交原《房屋所有權證》和證實房屋倒塌的有關證明；

（3）他項權利消滅的，提交原《房屋所有權證》並由債權人、債務人共同申請。

Q：遺失《房屋所有權證》、（房屋共有權保持證》、《房屋他項權證》，應該怎麼辦？

A：如遺失了《房屋所有權證》、《房屋共有權保持證》、《房屋他項權證》，當事人應登報聲明作廢。持登報聲明向登記機關辦理遺失登記、申請補發新證，經過 3 個月無異議的，便給予補發新證。

Q：*在中國委託他人代管私有房屋時，需要辦理哪些手續？*

A：所有權不在房屋所在地或由於其他原因不能親自管理自己的房屋時，可出具委託書委託代理人代為管理自己的私有房屋。委託書應明確規定代理人的代理權限。代理人按照代理權限行使代理權並履行應盡的義務。受託人以委託人的名義對其私有房屋進行管理，因此而產生一切權利、義務，均由委託人承擔。代理人進行管理房屋活動時，應持有房主的正式委託書。

房主在國外或境外委託代理人管理自己的房屋，應到公證機構、領使館辦理委託的公證。如屬港、澳、台人士，其委託書則由中國司法部門指定的律師給予公證後，到中國法律服務（香港）有限公司辦理加章轉遞。

Q：*華僑及外籍人士如何辦理在中國遺產的繼承手續？*

A：(1) 在中國繼承遺產的華僑和外籍人士，均需向居住國的公證機關辦理公證手續，證明申請人的職業、住址和他與中國關係人的親屬關係。該公證書須繼居住國外交部指定辦理認證的其他官方機構和中國駐外領、使館認證。如屬港澳台地區，則由中國司法部指定的律師給予公證後，到中國法律服務（香港）有限公司辦理加章轉遞。

(2) 申請人可持上述經中國駐外領、使館認證的公證書或經中國司法部指定的律師公證書證明，被繼承人的死亡證書，如有遺囑連同經公證過的遺囑。來到遺產所在地的公證機關申請辦理繼承手續，公證機關對有關證件審核後，如符合中華人民共和國繼承法規定者，將發給繼承權證書。申請人可憑繼承權證書到遺產管理部門辦理具體繼承事項。

(3) 如需公證的主要事實在國內，繼承人也可向國內當地的公證機關直接申請公證，由公證機關核發繼承權證書。

(4) 申請人如不能親自來中國，可委託在中國親友代為辦理，在中國無親友或不方便委託親友的，可委託中國律師代為辦理。在此情況下，須加委託書，該委託書包括受託人的姓名、地址、授權範圍。該委託書同樣須辦理第（1）項中所說的認證手續。

(5) 在繼承發生糾紛時，申請人可依法向所在地的人民法院提出訴訟，由人民法院依法判決。

三 應用法例編

A 綜合應用法規

1．中華人民共和國憲法修正案（有關房地產的規定）
2．中華人民共和國土地管理法
3．中華人民共和國城鎮國有土地使用權出讓和轉讓暫行條例
4．城市私有房屋管理條例
5．外商投資開發經營成片土地暫行管理辦法
6．中華人民共和國中外合資經營企業法
7．中華人民共和國中外合資經營企業法實施條例
8．中華人民共和國外資企業法
9．中華人民共和國中外合作經營企業法
10．國務院關於鼓勵外商投資的規定
11．國務院關於台灣同胞到經濟特區投資的特別優惠辦法

B 廣東省現行法規

12．廣東省經濟特區土地管理條例
13．廣東省土地管理實施辦法
14．廣東省城市建設綜合開發公司管理條例

C 廣州現行法規

15．廣州經濟技術開發區土地使用規則
16．廣州經濟技術開發區土地使用權有償出讓合同書（附：土地投標書）
17．廣州經濟技術開發區土地使用權轉讓
18．廣州市徵收城鎮土地使用費試行辦法
19．廣州市徵收中外合營企業土地使用費暫行辦法
20．廣州經濟技術開發區土地管理試行辦法

D 深圳現行法規

21．深圳經濟特區土地管理條例
22．深圳經濟特區協議出讓土地使用權地價標準及減免土地使用價款的暫行規定

23．深圳土地招標投標試行辦法

24．深圳經濟特區土地招標須知（附：土地使用權投標書）

E　珠海現行法規

25．珠海市人民政府關於為外商投資提供更多優惠的規定（節錄）

26．珠海經濟特區土地使用費調整及優惠減免辦法

F　汕頭現行法規

27．汕頭經濟特區關於土地權轉讓有關問題的規定

28．汕頭經濟特區土地管理規定

29．汕頭市市轄區、汕頭經濟特區徵地補償暫行規定

G　海南現行法規

30．海南土地管理辦法

31．海口市土地使用權有償出讓轉讓規定

H　上海、天津現行法規

32．上海市土地使用權有償轉讓辦法

33．天津經濟技術開發區場地使用費收費標準及收費辦法暫行規定

I　黑龍江、大連現行法規

34．黑龍江省人民政府關於對客商投資興辦企業實行優惠辦法的若干規定（節錄）

35．大連經濟技術開發區土地使用管理辦法

36．大連經濟技術開發區若干優惠待遇的規定（節錄）

J　廈門、寧波現行法規

37．廈門經濟特區土地使用管理規定

38．寧波市中外合資經營企業土地使用管理實施辦法

A 綜合應用法規

1

《中華人民共和國憲法修正案》

（1988年4月12日）

■ 第 1 條　憲法第11條增加規定："國家允許私營經濟在法律規定的範圍內存在和發展。私營經濟是社會主義公有制經濟的補充。國家保護私營經濟的合法的權利和利益，對私營經濟實行引導、監督和管理。"

■ 第 2 條　憲法第10條第四款"任何組織或者個人不得侵佔、買賣、出租或者以其他形式非法轉讓土地。"修改為："任何組織或者個人不得侵佔、買賣或者以其他形式非法轉讓土地。土地的使用權可以依照法律的規定轉讓。"

附：《中華人民共和國憲法》（第10、11條）

■ 第 10 條　城市的土地屬於國家所有。

農村和城市郊區的土地，除由法律規定屬於國家所有的以外，屬於集體所有；宅基地和自留地、自留山，也屬於集體所有。

國家為了公共利益的需要，可以依照法律規

定對土地實行徵用。

任何組織或者個人不得侵佔、買賣、出租或者以其他形式非法轉讓土地。

一切使用土地的組織和個人必須合理地利用土地。

■ 第 11 條 在法律規定範圍內的城鄉勞動者個體經濟，是社會主義公有制經濟的補充。國家保護個體經濟的合法的權利和利益。

國家通過行政管理，指導、幫助和監督個體經濟。

2

《中華人民共和國土地管理法》

（1988 年 12 月 29 日修正）

第一章 總 則

■ 第 1 條 為了加強土地管理，維護土地的社會主義公有制，保護、開發土地資源，合理利用土地，切實保護耕地，適應社會主義現代化建設的需要，特制定本法。

■ 第 2 條 中華人民共和國實行土地的社會主義公有制，即全民所有制和勞動羣眾集體所有制。

任何單位和個人不得侵佔、買賣或者以其他形式非法轉讓土地。

國家為了公共利益的需要，可以依法對集體所有的土地實行徵用。

國有土地和集體所有的土地的使用權可以依法轉讓。土地使用權轉讓的具體辦法，由國務院另行規定。國家依法實行國有土地有償使用制度。國有土地有償使用的具體辦法，由國務院另行規定。

■ 第 3 條 各級人民政府必須貫徹執行十分珍惜和合理利用土地的方針，全面規劃，加強管理，保護、開發土地資源，制止亂佔耕地和濫用土地的行為。

■ 第 4 條 在保護和開發土地資源、合理利用土地以及進行有關的科學研究等方面成績顯著的單位和個人，由人民政府給予獎勵。

■ 第 5 條　國務院土地管理部門主管全國土地的統一管理工作。

縣級以上地方人民政府土地管理部門主管本行政區域內的土地的統一管理工作，機構設置由省、自治區、直轄市根據實際情況確定。

鄉級人民政府負責本行政區域的土地管理工作。

第二章　土地的所有權和使用權

■ 第 6 條　城市市區的土地屬於全民所有即國家所有。

農村和城市郊區的土地，除法律規定屬於國家所有的以外，屬於集體所有；宅基地和自留地、自留山，屬於集體所有。

■ 第 7 條　國有土地可以依法確定給全民所有制單位或者集體所有制單位使用，國有土地和集體所有的土地可以依法確定給個人使用。使用土地的單位和個人，有保護、管理和合理利用土地的義務。

■ 第 8 條　集體所有的土地依照法律屬於村農民集體所有，由村農業生產合作社等農業集體經濟組織或者村民委員會經營、管理。已經屬於鄉（鎮）農民集體經濟組織所有的，可以屬於鄉（鎮）農民集體所有。

村農民集體所有的土地已經分別屬於村內兩

個以上農業集體經濟組織所有的，可以屬於各該農業集體經濟組織的農民集體所有。

■ 第 9 條 集體所有的土地，由縣級人民政府登記造冊，核發證書，確認所有權。

全民所有制單位、集體所有制單位和個人依法使用的國有土地，由縣級以上地方人民政府登記造冊，核發證書，確認使用權。

確認林地、草原的所有權或者使用權，確認水面、灘塗的養殖使用權，分別依照《森林法》、《草原法》和《漁業法》的有關規定辦理。

■ 第 10 條 依法改變土地的所有權或者使用權的，必須辦理土地權屬變更登記手續，更換證書。

■ 第 11 條 土地的所有權和使用權受法律保護，任何單位和個人不得侵犯。

■ 第 12 條 集體所有的土地，全民所有制單位、集體所有制單位使用的國有土地，可以由集體或者個人承包經營，從事農、林、牧、漁業生產。

承包經營土地的集體或者個人，有保護和按照承包合同規定的用途合理利用土地的義務。

土地的承包經營權受法律保護。

■ 第 13 條 土地所有權和使用權爭議，由當事人協商解決；協商不成的，由人民政府處理。

全民所有制單位之間、集體所有制單位之間、全民所有制單位和集體所有制單位之間的土地所有權和使用權爭議，由縣級以上人民政府處理。

個人之間、個人與全民所有制單位和集體所有制單位之間的土地使用權爭議，由鄉級人民政府或者縣級人民政府處理。

當事人對有關人民政府的處理決定不服的，可以在接到處理決定通知之日起 30 日內，向人民法院起訴。

在土地所有權和使用權爭議解決以前，任何一方不得改變土地現狀，不得破壞土地上的附着物。

第三章 土地的利用和保護

■ **第 14 條** 國家建立土地調查統計制度。縣級以上人民政府土地管理部門會同有關部門進行土地調查統計。

■ **第 15 條** 各級人民政府編制土地利用總體規劃，地方人民政府的土地利用總體規劃經上級人民政府批准執行。

■ **第 16 條** 城市規劃和土地利用總體規劃應當協調。在城市規劃區內，土地利用應當符合城市規劃。

在江河、湖泊的安全區，土地利用應當符合江河、湖泊綜合開發利用規劃。

■ **第 17 條** 開發國有荒山、荒地、灘塗用於農、林、牧、漁業生產的，由縣級以上人民政府批可以確定給開發單位使用。

■ **第 18 條** 採礦、取土後能夠複墾的土地，用地單位或者個人應當負責複墾，恢復利用。

■ 第 19 條　使用國有土地，有下列情形之一的，由土地管理部門報縣級以上人民政府批准，收回用地單位的土地使用權，註銷土地使用證：

一、用地單位已經撤銷或者遷移的；

二、未經原批准機關同意，連續二年未使用的；

三、不按批准的用途使用的；

四、公路、鐵路、機場、礦場等經核准報廢的。

■ 第 20 條　各級人民政府應當採取措施，保護耕地，維護排灌工程設施，改良土壤，提高地力，防治土地沙化、鹽漬化、水土流失，制止荒廢、破壞耕地的行為。

國家建設和鄉（鎮）村建設必須節約使用土地，可以利用荒地的，不得佔用耕地；可以利用劣地的，不得佔用好地。

第四章　國家建設用地

■ 第 21 條　國家進行經濟、文化、國防建設以及興辦社會公共事業，需要徵用集體所有的土地或者使用國有土地的，按照本章規定辦理。

■ 第 22 條　按照國家規定，列入國家固定資產投資計劃的或者准許建設的國家建設項目，經過批准，建設單位方可申請用地。

■ 第 23 條　國家建設徵用土地，建設單位必須持國務院主管部門或者縣級以上地方人民政府按照國家基本建設程序批准的設計任務書或者其他批准文件，向縣級以上地方人民政府土地管理部門提出申請，經縣級以上人民政府審查批准後，由土地管理部門劃撥土地。

國家建設所徵用土地，被徵地單位應當服從國家需要，不得阻撓。

■ 第 24 條　國家建設所徵用的集體所有的土地，所有權屬於國家，用地單位只有使用權。

■ 第 25 條　國家建設徵用耕地 1,000 畝以上，其他土地 2,000 畝以上的，由國務院批准。

徵用省、自治區行政區域內的土地，由省、自治區人民政府批准；徵用耕地 3 畝以下，其他土地 10 畝以下的，由縣級人民政府批准；省轄市、自治州人民政府的批准權限，由省、自治區人民代表大會常務委員會決定。

徵用直轄行政區域內的土地，由直轄市人民政府批准；直轄市的區人民政府和縣人民政府的批准權限，由直轄市人民代表大會常務委員會決定。

■ 第 26 條　一個建設項目需要使用的土地，應當根據總體設計一次申請批准，不得化整為零。分期建設的項目，應當分期徵地，不得先徵待用。鐵路、公路和輸油、輸水等管線建設需要使用的土地，可以分段申請批准，辦理徵地手續。

■ 第 27 條　國家建設徵用土地，由用地單位支付土地補償費。徵用耕地的補償費，為該耕地被徵用前三年平均年產值的三至六倍。徵用其他土地的補償標準，由省、自治區、直轄市參照徵用耕地的補償費標準規定。

被徵用土地上的附着物和青苗的補償標準，由省、自治區、直轄市規定。

徵用城市郊區的菜地，用地單位應當按照國家有關規定繳納新菜地開發建設基金。

■ **第 28 條**　國家建設徵用土地，用地單位除支付補償費外，還應當支付安置補助費。

徵用耕地的安置補助費，按照需要安置的農業人口數計算。需要安置的農業人口數，按照被徵用的耕地數量除以徵地前被徵地單位平均每人佔有耕地的數量計算。每一個需要安置的農業人口的安置補助費標準，為該耕地被徵用前三年平均每畝年產值的二至三倍。但是，每畝被徵用耕地的安置補助費，最高不得超過被徵用前三年平均年產值的十倍。徵用其他土地的安置補助費標準，由省、自治區、直轄市參照徵用耕地的安置補助費標準規定。

■ **第 29 條**　依照本法第 27 條、第 28 條的規定支付土地補償費和安置補助費，尚不能使需要安置的農民保持原有生活水平的，經省、自治區、直轄市人民政府批准，可以增加安置補助費。但是，土地補償和安置補助費的總和不得超過土地被徵用前三年平均年產值的 20 倍。

■ **第 30 條**　國家建設徵用土地的各項補償費和安置補助費，除被徵用土地上屬於個人的附着物和青苗的補償費付給本人外，由被徵地單位用於發展生產和安排因土地被徵用而造成的多餘勞動力的就業和不能就業人員的生活補助，不得移作他用，任何單位和個人不得佔用。

■ 第 31 條 因國家建設徵用土地造成的多餘勞動力，由縣級以上地方人民政府土地管理部門組織被徵地單位、用地單位和有關單位，通過發展農副業生產和舉辦鄉（鎮）村企業等途徑，加以安置；安置不完的，可以安排符合條件的人員到用地單位或者其他集體所有制單位、全民所有制單位就業，並將相應的安置補助費轉撥給吸收勞動力的單位。

被徵地單位的土地被全部徵用的，經省、自治區、直轄市人民政府審查批准，原有的農業戶口可以轉為非農業戶口。原有的集體所有的財產和所得的補償費、安置補助費，由縣級以上地方人民政府與有關鄉（鎮）村商定處理，用於組織生產和不能就業人員的生活補助，不得私分。

■ 第 32 條 大中型水利、水電工程建設徵用土地的補償費標準和移民安置辦法，由國務院另行規定。

■ 第 33 條 工程項目施工，需要材料堆場、運輸通路和其他臨時設施的，應當盡量在徵用的土地範圍內安排。確實需要另行增加臨時用地的，由建設單位向批准工程項目用地的機關提出臨時用地數量和期限的申請，經批准後，同農業集體經濟組織簽訂臨時用地協議，並按該土地前三年平均年產值逐年給予補償。在臨時使用的土地上不得修建永久性建築物。使用期滿，建設單位應當恢復土地的生產條件，及時歸還。

架設地上線路、鋪設地下管線、建設其他地下工程、進行地質勘探等、需要臨時使用土地的，由當地縣級人民政府批准，並按照前款規定給予補償。

建設單位為選擇建設地址，需要對土地進行勘測的，應當徵得當地縣級人民政府同意；造成損失的，應當給予適當補償。

■ 第 34 條　國家建設使用國有荒山、荒地以及其他單位使用的國有土地的，按照國家建設徵用土地的程序和批准權限經批准後劃撥。使用國有荒山、荒地的，無償劃撥。使用其他單位使用的國有土地，原使用單位受到損失的，建設單位應當給予適當補償；原使用單位需要搬遷的，建設單位應當負責搬遷。

■ 第 35 條　城市集體所有制單位進行建設，需要使用土地的，按照本章規定辦理。

■ 第 36 條　全民所有制企業、城市集體所有制企業同農業集體經濟組織共同投資舉辦的聯營企業，需要使用集體所有的土地的，必須持國務院主管部門或者縣級以上地方人民政府按照國家基本建設程序批准的設計任務書或者其他批准文件，向縣級以上地方人民政府土地管理部門提出申請，按照國家建設徵用土地的批准權限，經縣以上人民政府批准；經批准使用的土地，可以按照國家建設徵用土地的規定實行徵用，也可以由農業集體經濟組織按照協議將土地的使用權作為聯營條件。

第五章　鄉（鎮）村建設用地

■ **第 37 條**　鄉（鎮）村建設應當按照合理布局、節約用地的原則制定規劃，經縣級人民政府批准執行。城市規劃區內的鄉（鎮）村建設規劃，經市人民政府批准執行。

農村居民住宅建設，鄉（鎮）村企業建設，鄉（鎮）村公共設施、公益事業建設等鄉（鎮）村建設，應當按照鄉（鎮）村建設規劃進行。

■ **第 38 條**　農村居民建住宅，應當使用原有的宅基地和村內空閑地。使用耕地的，經鄉級人民政府審核後，報縣級人民政府批准；使用原有的宅基地、村內空閑和其他土地的，由鄉級人民政府批准。

農村居民住宅使用土地，不得超過省、自治區、直轄市規定的標準。

出賣、出租住房後再申請宅基地的，不予批准。

■ **第 39 條**　鄉（鎮）村企業建設需要使用土地的，必須持縣級以上地方人民政府批准的設計任務書或者其他批准文件，向縣級人民政府土地管理部門提出申請，按照省、自治區、直轄市規定的批准權限，由縣級以上地方人民政府批准。

鄉（鎮）村企業建設用地，必須嚴格控制。省、自治區、直轄市可以按照鄉（鎮）村企業的不同行業和經營規模，分別規定用地標準。

鄉（鎮）村企業建設使用村農民集體所有的土地的，應當按照省、自治區、直轄市的規定，給被用地單位以適當補償，並妥善安置農民的生產和生活。

■ 第 40 條　鄉（鎮）村公共設施、公益事業建設，需要使用土地的，經鄉級人民政府審核，向縣級人民政府土地管理部門提出申請，按照省、自治區、直轄市規定的批准權限，由縣級以上地方人民政府批准。

■ 第 41 條　城鎮非農業戶口居民建住宅，需要使用集體所有的土地的，必須經縣級人民政府批准，其用地面積不得超過省、自治區、直轄市規定的標準，並參照國家建設徵用土地的標準支付補償費和安置補助費。

■ 第 42 條　地方各級人民政府可以制定鄉（鎮）村建設用地控制指標，報上一級人民政府批准執行。

第六章　法律責任

■ 第 43 條　全民所有制單位、城市集體所有制單位未經批准或者採取欺騙手段騙取批准，非法佔用土地的，責令退還非法佔用土地，限期拆除或者沒收在非法佔用的土地上新建的建築物和其他設施，並處罰款；對非法佔地單位的主管人員由其所在單位或者上級機關給予行政處分。

超過批准的用地數量佔用土地的，多佔的土

地按照非法佔用土地處理。

■ 第 44 條　鄉（鎮）村企業未經批准或者採取欺騙手段騙取批准，非法佔用土地的，責令退還非法佔用的土地，限期拆除或者沒收在非法佔用的土地上新建的建築物和其他設施，可以並處罰款。

超過批准的用地數量佔用土地的，多佔的土地按照非法佔用土地處理。

■ 第 45 條　農村居民未經批准或者採取欺騙手段騙取批准，非法佔用土地建設住宅的，責令退還非法佔用的土地，限期拆除或者沒收在非法佔用的土地上新建的房屋。

■ 第 46 條　城鎮非農業戶口居民未經批准或者採取欺騙手段騙取批准，非法佔用土地建住宅的，責令退還非法佔用的土地，限期拆除或者沒收在非法佔用的土地上新建的房屋。

國家工作人員利用職權，未經批准或者採取欺騙手段騙取批准，非法佔用土地建住宅的，責令退還非法佔用的土地，限期拆除或者沒收在非法佔用的土地上新建的房屋，並由其所在單位或者上級機關給予行政處分。

■ 第 47 條　買賣或者以其他形式非法轉讓土地的，沒收非法所得，限期拆除或者沒收在買賣或者以其他形式非法轉讓的土地上新建的建築物和其他設施，並可以對當事人處以罰款；對主管人員由其所在單位或者上級機關給予行政處分。

■ 第 48 條　無權批准徵用、使用土地的單位或者個人非法批准佔用土地的，超越批准權限非法批准佔用土地的，批准文件無效，對非法批准佔用土地的單位主管人員或者個人由其所在單位或者上級機關給予行政處分；收受賄賂的，依照《刑法》有關規定追究刑事責任。非法批准佔用的土地按照非法佔用土地處理。

■ **第 49 條**　上級單位或者其他單位非法佔用被徵地單位的補償費和安置補助費的，責令退賠，可以並處罰款，對主管人員由其所在單位或者上級機關給予行政處分；個人非法佔用的，以貪污論處。

■ **第 50 條**　依照本法第 33 條的規定臨時使用土地，期滿不歸還的，依照本法第 19 條的規定土地使用權被收回，拒不交出土地的，責令交還土地，並處罰款。

■ **第 51 條**　違反法律規定，在耕地上挖沙、採石、採礦等，嚴重毀壞種植條件的，或者因開發土地，造成土地沙化、鹽漬化、水土流失的，責令限期治理，可以並處罰款。

■ **第 52 條**　本法規定的行政處罰由縣級以上地方人民政府土地管理部門決定，本法第 45 條規定的行政處罰可以由鄉級人民政府決定。當事人對行政處罰決定不服的，可以在接到處罰決定通知之日起 15 日內，向人民法院起訴；期滿不起訴又不履行的，由作出處罰決定的機關申請人民法院強制執行。

受到限期拆除新建建築物和其他設施的處罰

的單位和個人，必須立即停止施工。對繼續施工的，作出處罰決定的機關有權制止。拒絕、阻礙土地管理工作人員依法執行職務的，依照治安管理處罰條例的有關規定處罰。

■ 第 53 條　侵犯土地的所有權或者使用權的，由縣級以上地方人民政府土地管理部門責令停止侵犯，賠償損失；當事人對處理決定不服的，可以在接到處理決定通知之日起 30 日內向人民法院起訴。被侵權人也可以直接向人民法院起訴。

■ 第 54 條　在變更土地的所有權、使用權和解決土地所有權、使用權爭議的過程中，行賄、受賄、敲詐勒索，貪污、盜竊國家的和集體的財物，或者煽動羣眾鬧事、阻撓國家建設，構成犯罪的，依照《刑法》有關規定追究刑事責任。

第七章　附　則

■ 第 55 條　中外合資經營企業、中外合作經營企業、外資企業使用土地的管理辦法，由國務院另行規定。

■ 第 56 條　國務院土地管理部門根據本法制定實施條例，報國務院批准施行。

省、自治區、直轄市人民代表大會常務委員會根據本法制定實施辦法。

■ 第 57 條　本法自 1987 年 1 月 1 日起施行，1982 年 2 月 13 日國務院發布的《村鎮建房用地管理條例》和 1982 年 5 月 14 日國務院公布的《國家建設徵用土地條例》同時作廢。

3

《中華人民共和國城鎮國有土地使用權出讓和轉讓暫行條例》

（1990年5月19日）

第一章　總　則

■ 第 1 條　為了改革城鎮國有土地使用制度，合理開發、利用、經營土地，加強土地管理，促進城市建設和經濟發展，制定本條例。

■ 第 2 條　國家按照所有權與使用權分離的原則，實行城鎮國有土地使用權出讓、轉讓制度，但地下資源、埋藏物和市政公用設施除外。前款所稱城鎮國有土地是指市、縣城、建制鎮、工礦區範圍內屬於全民所有的土地（以下簡稱土地）。

■ 第 3 條　中華人民共和國境內外的公司、企業、其他組織和個人，除法律另有規定者外，均可依照本條例的規定取得土地使用權，進行土地開發、利用、經營。

■ 第 4 條　依照本條例的規定取得土地使用權的土地使用者，其使用權在使用年期內可以轉讓、出租、抵押或者用於其他經濟活動，合法權益受國家法律保護。

■ 第 5 條　土地使用者開發、利用、經營土地的活動，應當遵守國家法律、法規的規定，並不得損害社會公共利益。

■ 第 6 條　縣級以上人民政府土地管理部門依法對土地使用權的出讓、轉讓、出租、抵押、終止進行監督檢查。

■ 第 7 條　土地使用權出讓、轉讓、出租、抵押、終止及有關的地上建築物、其他附着物的登記，由政府土地管理部門、房產管理部門依照法律和國務院的有關規定辦理。

登記文件可以公開查閱。

第二章　土地使用權出讓

■ 第 8 條　土地使用權出讓是指國家以土地所有者的身分將土地使用權在一定年限內讓與土地使用者，並由土地使用者向國家支付土地使用權出讓金的行為。

土地使用權出讓應當簽訂出讓合同。

■ 第 9 條　土地使用權的出讓，由市、縣人民政府負責，有計劃、有步驟地進行。

■ 第 10 條　土地使用權出讓的地塊、用途、年限和其他條件，由市、縣人民政府土地管理部門會同城市規劃和建設管理部門、房產管理部門共同擬定方案，按照國務院規定的批准權限報經批准後，由土地管理部門實施。

■ 第 11 條　土地使用權出讓合同應當按照平等、自願、有償的原則，由市、縣人民政府土地管理部門（以下簡稱出讓方）與土地使用者簽訂。

■ 第 12 條　土地使用權出讓最高年限按下列用途

確定：

（一）居住用地70年；

（二）工業用地50年；

（三）教育、科技、文化、衛生、體育用地50年；

（四）商業、旅遊、娛樂用地40年；

（五）綜合或者其他用地50年。

■ 第 13 條　土地使用權出讓可以採取下列方式：

（一）協議；

（二）招標；

（三）拍賣。

依照前款規定方式出讓土地使用權的具體程序和步驟，由省、自治區、直轄市人民政府規定。

■ 第 14 條　土地使用者應當在簽訂土地使用權出讓合同後 60 日內，支付全部土地使用權出讓金。逾期未全部支付的，出讓方有權解除合同，並可請求違約賠償。

■ 第 15 條　出讓方應當按照合同規定，提供出讓的土地使用權。未按合同規定提供土地使用權的，土地使用者有權解除合同，並可請求違約賠償。

■ 第 16 條　土地使用者在支付全部土地使用權出讓金後，應當依照規定辦理登記，領取土地使用證，取得土地使用權。

■ 第 17 條　土地使用者應當按照土地使用權出讓合同的規定和城市規劃的要求，開發、利用、經營土地。

未按合同規定的期限和條件開發、利用土地的，市、縣人民政府土地管理部門應當予以糾正，並根據情節可以給予警告、罰款直至無償收回土地使用權的處罰。

■ 第 18 條　土地使用者需要改變土地使用權出讓合同規定的土地用途的，應當徵得出讓方同意並經土地管理部門和城市規劃部門批准，依照本章的有關規定重新簽訂土地使用權出讓合同，調整土地使用權出讓金，並辦理登記。

第三章　土地使用權轉讓

■ 第 19 條　土地使用權轉讓是指土地使用者將土地使用權再轉移的行為，包括出售、交換和贈與。未按土地使用權出讓合同規定的期限和條件投資開發、利用土地的，土地使用權不得轉讓。

■ 第 20 條　土地使用權轉讓應當簽訂轉讓合同。

■ 第 21 條　土地使用權轉讓時，土地使用權出讓合同和登記文件中所載明的權利、義務隨之轉移。

■ 第 22 條　土地使用者通過轉讓方式取得的土地使用權，其使用年限為土地使用權出讓合同規定的使用年限減去原土地使用者已使用年限後的剩餘年限。

■ 第 23 條　土地使用權轉讓時，其地上建築物、其他附着物所有權隨之轉讓。

■ 第 24 條　地上建築物、其他附着物的所有人或者共有人，享有該建物築、附着物使用範圍內的土地使用權。土地使用者轉讓地上建築物、其他附着物所有權時，其使用範圍內的土地使用權隨之轉讓，但地上建築物、其他附着物作為動產轉讓的除外。

■ 第 25 條　土地使用權和地上建築物、其他附着物所有權轉讓，應當依照規定辦理過戶登記。土地使用權和地上建築物、其他附着物所有權分割轉讓的，應當經市、縣人民政府土地管理部門和房產管理部門批准，並依照規定辦理過戶登記。

■ 第 26 條　土地使用權轉讓價格明顯低於市場價格的，市、縣人民政府有優先購買權。土地使用權轉讓的市場價格不合理上漲時，市、縣人民政府可以採取必要的措施。

■ 第 27 條　土地使用權轉讓後，需要改變土地使用權出讓合同規定的土地用途的，依照本條例第18條的規定辦理。

第四章　土地使用權出租

■ 第 28 條　土地使用權出租是指土地使用者作為出租人將土地使用權隨同地上建築物、其他附着物租賃給承租人使用，由承租人向出租人支付租金的行為。未按土地使用權出讓合同規定的期限和條件投資開發、利用土地的，土地使用權不得出租。

■ 第 29 條　土地使用權出租，出租人與承租人應當簽訂租賃合同。租賃合同不得違背國家法律、法規和土地使用權出讓合同的規定。

■ 第 30 條 土地使用權出租後，出租人必須繼續履行土地使用權出讓合同。

■ 第 31 條 土地使用權和地上建築物、其他附着物出租，出租人應當依照規定辦理登記。

第五章 土地使用權抵押

■ 第 32 條 土地使用權可以抵押。

■ 第 33 條 土地使用權抵押時，其地上建築物、其他附着物隨之抵押。地上建築物、其他附着物抵押時，其使用範圍內的土地使用權隨之抵押。

■ 第 34 條 土地使用權抵押，抵押人與抵押權人應當簽訂抵押合同。抵押合同不得違背國家法律、法規和土地使用權出讓合同的規定。

■ 第 35 條 土地使用權和地上建築物、其他附着物抵押，應當依照規定辦理抵押登記。

■ 第 36 條 抵押人到期未能履行債務或者在抵押合同期間宣告解散、破產的、抵押權人有權依照國家法律、法規和抵押合同的規定處分抵押財產。因處分抵押財產而取得土地使用權和地上建築物、其他附着物所有權的，應當依照規定辦理過戶登記。

■ 第 37 條 處分抵押財產所得，抵押權人有優先受償權。

■ 第 38 條 抵押權因債務清償或者其他原因而消滅的，應當依照規定辦理註銷抵押登記。

第六章 土地使用權終止

■ 第 39 條 土地使用權因土地使用權出讓合同規定的使用年限屆滿、提前收回及土地滅失等原因而終止。

■ 第 40 條 土地使用權期滿，土地使用權及其地上建築物、其他附着物所有權由國家無償取得。土地使用者應當交還土地使用證，並依照規定辦理註銷登記。

■ 第 41 條 土地使用權期滿，土地使用者可以申請續期。需要續期的，應當依照本條例第二章的規定重新簽訂合同，支付土地使用權出讓金，並辦理登記。

■ 第 42 條 國家對土地使用者依法取得的土地使用權不提前收回。在特殊情況下，根據社會公共利益的需要，國家可以依照法律程序提前收回，並根據土地使用者已使用的年限和開發、利用土地的實際情況給予相應的補償。

第七章 劃撥土地使用權

■ 第 43 條 劃撥土地使用權是指土地使用者通過各種方式依法無償取得的土地使用權。前款土地使用者應當依照《中華人民共和國城鎮土地使用稅暫行條例》的規定繳納土地使用稅。

■ 第 44 條 劃撥土地使用權，除本條例第 45 條規定的情況外，不得轉讓、出租、抵押。

■ 第 45 條 符合下列條件的，經市、縣人民政府土地管理部門和房產管理部門批准，其劃撥土地使用權和地上建築物、其他附着物所有權可以轉讓、出租、抵押：

（一）土地使用者為公司、企業、其他經濟組織和個人；

（二）領有國有土地使用證；

（三）具有地上建築物、其他附着物合法的產權證明；

（四）依照本條例第二章的規定簽訂土地使用權出讓合同，向當地市、縣人民政府補交土地使用權出讓金或者以轉讓、出租、抵押所獲收益抵交土地使用權出讓金。轉讓、出租、抵押前款劃撥土地使用權的，分別依照本條例第三章、第四章和第五章的規定辦理。

■ 第 46 條　對未經批准擅自轉讓、出租、抵押劃撥土地使用權的單位和個人，市、縣人民政府土地管理部門應當沒收其非法收入，並根據情節處以罰款。

■ 第 47 條　無償取得劃撥土地使用權的土地使用者，因遷移、解散、撤消、破產或者其他原因而停止使用土地的，市、縣人民政府應當無償收回其劃撥土地使用權，並可依照本條例的規定予以出讓。對劃撥土地使用權，市、縣人民政府根據城市建設發展需要和城市規劃的要求，可以無償收回，並可依照本條例的規定予以出讓。無償收回劃撥土地使用權時，對其地上建築物、其他附着物，市、縣人民政府應當根據實際情況給予適當補償。

第八章　附　則

■ 第 48 條　依照本條例的規定取得土地使用權的個人，其土地使用權可以繼承。

■ 第 49 條　土地使用者應當依照國家稅收法規的規定納稅。

■ 第 50 條　依照本條例收取的土地使用權出讓金列入財政預算，作為專項基金管理，主要用於城市建設和土地開發。具體使用管理辦法，由財政部另行制定。

■ 第 51 條　各省、自治區、直轄市人民政府應當根據本條例的規定和當地的實際情況選擇部分條件比較成熟的城鎮先行試點。

■ 第 52 條　外商投資從事開發經營成片土地的，其土地使用權的管理依照國務院有關規定執行。

■ 第 53 條　本條例由國家土地管理局負責解釋；實施辦法由省、自治區、直轄市人民政府制定。

■ 第 54 條　本條例自發布之日起施行。

4

《城市私有房屋管理條例》

（1983年12月17日）

第一章　總　則

■ 第1條　為了加強對城市私有房屋的管理，保護房屋所有人和使用人的合法權益，發揮私有房屋的作用，以適應社會主義現代化建設和人民生活的需要，特制定本條例。

■ 第2條　本條例適用於直轄市、市、鎮和未設鎮建制的縣城、工礦區內的一切私有房屋。

前款私有房屋是指個人所有、數人共有的自用或出租的住宅和非住宅用房。

■ 第3條　國家依法保護公民城市私有房屋的所有權。任何單位或個人都不得侵佔、毀壞城市私有房屋。

城市私有房屋所有人必須在國家規定的範圍內行使所有權，不得利用房屋危害公共利益、損害他人合法權益。

■ 第4條　城市私有房屋因國家建設需要徵用拆遷時，建設單位應當給予房屋所有人合理的補償，並按房屋所在地人民政府的規定對使用人予以妥善安置。

被徵用拆遷房屋的所有人或使用人應當服從國家建設的需要，按期搬遷，不得借故拖延。

■ 第 5 條　城市私有房屋由房屋所在地人民政府房地產管理機關（以下簡稱房管機關）依照本條例管理。

第二章　所有權登記

■ 第 6 條　城市私有房屋的所有人，須到房屋所在地房管機關辦理所有權登記手續，經審查核實後，領取房屋所有權證；房屋所有權轉移或房屋現狀變更時，須到房屋所在地房管機關辦理所有權轉移或房屋現狀變更登記手續。

數人共有的城市私有房屋，房屋所有人應當領取共同共有或按份共有的房屋所有權證。

■ 第 7 條　辦理城市私有房屋所有權登記或轉移、變更登記手續時，須按下列要求提交證件：

（一）新建、翻建和擴建的房屋，須提交房屋所在地規劃管理部門批准的建設許可證和建築圖紙；

（二）購買的房屋，須提交原房屋所有權證、買賣合同和契證；

（三）受贈的房屋，須提交原房屋所有權證、贈與書和契證；

（四）交換的房屋，須提交雙方的房屋所有權證、雙方簽訂的協議書和契證；

（五）繼承的房屋，須提交原房屋所有權證、遺產繼承證件和契證；

（六）分家析產、分割的房屋，須提交原房屋所有權證、分家析產單或分割單和契證；

（七）獲准拆除的房屋，須提交原房屋所有權證和批准拆除證件。證件不全或房屋所有權不清楚的，暫緩登記，待條件成熟後辦理。

■ 第 8 條　嚴禁塗改、偽造城市私有房屋所有權證。

遺失城市私有房屋所有權證，應當及時向房屋所在地房管機關報告，申請補發。

第三章　買　賣

■ 第 9 條　買賣城市私有房屋，賣方須持房屋所有權證和身分證明，買方須持購買房屋證明信和身分證明，到房屋所在地房管機關辦理手續。

任何單位或個人都不得私買私賣城市私有房屋。嚴禁以城市私有房屋進行投機倒把活動。

■ 第 10 條　房屋所有人出賣共有房屋，須提交共有人同意的證明書。在同等條件下，共有人有優先購買權。

■ 第 11 條　房屋所有人出賣租出房屋，須提前 3 個月通知承租人。在同條件下，承租人有優先購買權。

■ 第 12 條　買賣城市私有房屋，雙方應當本着按質論價的原則，參照房屋所在地人民政府規定的私房評價標準議定價格，經房屋所在地房管機關同意後才能成交。

■ 第 13 條　機關、團體、部隊、企業事業單位不得購買或變相購買城市私有房屋，如因特殊需要必須購買，須經縣以上人民政府批准。

■ 第 14 條　凡享受國家或企業事業單位補貼，廉價購買或建造的城市私有房屋，需要出賣時，只准賣給原補貼單位或房管機關。

第四章　租　賃

■ 第 15 條　租賃城市私有房屋，須由出租人和承租人簽訂租賃合同，明確雙方的權利和義務，並報房屋所在地房管機關備案。

■ 第 16 條　房屋租金，由租賃雙方按照房屋所在地人民政府規定的私有房屋租金標準，協商議定，沒有規定標準的，由租賃雙方根據公平合理的原則，參照房屋所在地租金的實際水平協商議定，不得任意抬高。

出租人除收取租金外，不得收取押租或其他額外費用。承租人應當按照合同規定交租，不得拒交或拖欠。

■ 第 17 條　承租人需要與第三者互換住房時，應當事先徵得出租人同意；出租人應當支持承租人的合理要求。換房後，原租賃合同即行終止，新承租人與出租人應當另行簽訂租賃合同。

■ 第 18 條　出租人、承租人共同使用的房屋及其設備，使用人應當本着互諒互讓、照顧公共利益的原則，共同合理使用和維護。

■ 第 19 條　修繕出租房屋是出租人的責任。出租人對房屋及其設備，應當及時、認真地檢查、修繕，保障住房安全。

房屋出租人對出租房屋確實無力修繕的，可

以和承租人合修。承租人付出的修繕費用可以折抵租金或由出租人分期償還。

■ 第 20 條　租賃合同終止時，承租人應當將房屋退還出租人。如承租人到期確實無法找到房屋，出租人應當酌情延長租賃期限。

■ 第 21 條　承租人有下列行為之一的，出租人有權解除租賃合同：

（一）承租人擅自將承租的房屋轉租、轉讓或轉借的；

（二）承租人利用承租的房屋進行非法活動，損害公共利益的；

（三）承租人累計 6 個月不交租金的。

■ 第 22 條　機關、團體、部隊、企業事業單位不得租用或變相租用城市私有房屋。如因特殊需要必須租用，須經縣以上人民政府批准。

第五章　代　管

■ 第 23 條　城市私有房屋所有人因不在房屋所在地或其他原因不能管理其房屋時，可出具委托書委托代理人代為管理。代理人須按照代理權限行使代理權並履行應盡的義務。

■ 第 24 條　所有人下落不明又無合法代理人或所有權不清楚的城市私有房屋，由房屋所在地房管機關代管。

前款代管房屋因天災或其他不可抗力遭受損失的，房管機關不負賠償責任。

■ 第 25 條　城市私有房屋所有人申請發還由房管

機關代管的房屋，必須證件齊備、無所有權糾紛，經審查核實後，才能發還。

第六章 附 則

■ 第 26 條 各省、自治區、直轄市人民政府可根據本條例，結合本地區具體情況，制定實施細則。

■ 第 27 條 本條例由城鄉建設環境保護部負責解釋。

■ 第 28 條 本條例自發布之日起施行。

5

《外商投資開發經營成片土地暫行管理辦法》

（1990年5月19日）

■ 第1條　為了吸收外商投資從事開發經營成片土地（以下簡稱成片開發），以加強公用設施建設，改善投資環境，引進外商投資先進技術企業和產品出口企業，發展外向型經濟，制定本辦法。

■ 第2條　本辦法所稱成片開發是指：在取得國有土地使用權後，依照規劃對土地進行綜合性的開發建設，平整場地、建設供排水、供電、供熱、道路交通、通信等公用設施，形成工業用地和其他建設用地條件，然後進行轉讓土地使用權、經營公用事業；或者進而建設通用工業廠房以及相配套的生產和生活服務設施等地面建築物，並對這些地面建築物從事轉讓或出租的經營活動。

成片開發應確定明確的開發目標，應有明確意向的利用開發後土地的建設項目。

■ 第3條　吸收外商投資進行成片開發的項目，應由市、縣人民政府組織編制成片開發項目建議書（或初步可行性研究報告，下同）。

使用耕地一千畝以下、其他土地二千畝以下，綜合開發投資額在省、自治區、直轄市人民政府（包括經濟特區人民政府或者管理委員會，下同）審批權限內的成片開發項目，其項目建議書應報省、自治區、直轄市人民政府審批。

使用耕地超過一千畝、其他土地超過二千畝，或者綜合開發投資額超過省、自治區、直轄市人民政府審批權限的成片開發項目，其項目建議書應經省、自治區、直轄市人民政府報國家計劃委員會審核和綜合平衡後，由國務院審批。

■ **第 4 條** 外商投資成片開發，應分別依照《中華人民共和國中外合資經營企業法》、《中華人民共和國中外合作經營企業法》、《中華人民共和國外資企業法》的規定，成立從事開發經營的中外合資經營企業，或者中外合作經營企業，或者外資企業（以下簡稱開發企業）。

開發企業受中國法律的管轄和保護，其一切活動應遵守中華人民共和國的法律、法規。

開發企業依法自主經營管理，但在其開發區域內沒有行政管理權。開發企業與其他企業的關係是商務關係。

國家鼓勵國營企業以國有土地使用權作為投資或合作條件，與外商組成開發企業。

■ **第 5 條** 開發企業應依法取得開發區域的國有土地使用權。

開發區域所在的市、縣人民政府向開發企業出讓國有土地使用權，應依照國家土地管理的法律和行政法規，合理確定地塊範圍、用途、年限、出讓金和其他條件，簽訂國有土地使用權出讓合同，並按出讓國有土地使用權的審批權限報經批准。

■ 第 6 條　國有土地使用權出讓後，其地下資源和埋藏物仍屬於國家所有，如需要開發利用，應依照國家有關法律和行政法規管理。

■ 第 7 條　開發企業應編制成片開發規劃或者可行性研究報告；明確規定開發建設的總目標和分期目標，實施開發的具體內容和要求，以及開發後土地利用方案等。

成片開發規劃或者可行性研究報告，經市、縣人民政府審核後，報省、自治區、直轄市人民政府審批。審批機關應就有關公用設施建設和經營，組織有關主管部門協調。

■ 第 8 條　開發區域在城市規劃區範圍內的，各項開發建設必須符合城市規劃要求，服從規劃管理。

開發區域的各項建設，必須符合國家環境保護的法律、行政法規和標準。

■ 第 9 條　開發企業必須在實施成片開發規劃，並達到出讓國有土地使用權合同規定的條件後，方可轉讓國有土地使用權。開發企業未按照出讓國有土地使用權合同規定的條件和成片開發規劃的要求投資開發土地的，不得轉讓國有土地使用權。

開發企業和其他企業轉讓國有土地使用權，或者抵押國有土地使用權，以及國有土地使用權終止，應依照國家土地管理的法律和行政法規辦理。

■ 第 10 條 開發企業可以吸引投資者到開發區域投資，受讓國有土地使用權，舉辦企業。外商投資企業應分別依照《中華人民共和國中外合資經營企業法》、《中華人民共和國中外合作經營企業法》、《中華人民共和國外資企業法》的規定成立。

在開發區域舉辦企業，應符合國家有關投資產業政策的要求，國家鼓勵舉辦先進技術企業和產品出口企業。

■ 第 11 條 開發區域的郵電通訊事業，由郵電部門統一規劃、建設與經營。也可以經省、自治區、直轄市郵電主管部門批准，由開發企業投資建設，或開發企業與郵電部門合資建設通信設施，建成後移交郵電部門經營，並根據雙方簽訂的合同，對開發企業給予經濟補償。

■ 第 12 條 開發企業投資建設區域內自備電站、熱力站、水廠等生產性公用設施的，可以經營開發區域內的供電、供水、供熱等業務，也可以交地方公用事業企業經營。公用設施能力有富餘，需要供應區域外，或者需要與區域外設施聯網運行的，開發企業應與地方公用事業企業按國家有關規定簽訂合同，按合同規定的條件經營。

開發區域接引區域外水、電等資源的，應由地方公用事業企業經營。

■ 第 13 條 開發區域地塊範圍涉及海岸港灣或者江河建港區段的，岸線由國家統一規劃和管理。

開發企業可以按照國家交通主管部門的統一規劃建設和經營專用港區碼頭。

■ 第 14 條 開發區域內不得從事國家法律和行政法規禁止的經營活動和社會活動。

■ 第 15 條 以舉辦出口加工企業為主的開發區域，需要在進出口管理、海關管理等方面採取特殊管理措施的，應報經國務院批准，由國家有關主管部門制定具體管理辦法。

■ 第 16 條 開發區域的行政管理、司法管理、口岸管理、海關管理等，分別由國家有關主管部門、所在的地方人民政府和有管轄權的司法機關組織實施。

■ 第 17 條 香港、澳門、台灣地區的公司、企業和其他經濟組織或者個人投資從事成片開發，參照本辦法執行。

■ 第 18 條 本辦法自發布之日起在經濟特區、沿海開放城市和沿海經濟開放區範圍內施行。

6

《中華人民共和國中外合資經營企業法》

（1979年7月8日）

■ **第1條**　中華人民共和國為了擴大國際經濟合作和技術交流，允許外國公司、企業和其它經濟組織或個人（以下簡稱外國合營者），按照平等互利的原則，經中國政府批准，在中華人民共和國境內，同中國的公司、企業或其它經濟組織（以下簡稱中國合營者）共同舉辦合營企業。

■ **第2條**　中國政府依法保護外國合營者按照經中國政府批准的協議、合同、章程在合營企業的投資，應分得的利潤和其他合法權益。

合營企業的一切活動應遵守中華人民共和國法律、法令和有關條例規定。

■ **第3條**　合營各方簽訂的合營協議、合同、章程，應報中華人民共和國外國投資管理委員會，該委員會應在3個月內決定批准或不批准。合營企業經批准後，向中華人民共和國工商行政管理總局登記，領取營業執照，開始營業。

■ **第4條**　合營企業的形式為有限責任公司。

在合營企業的註冊資本中，外國合營者的投資比例一般不低於25%。

合營各方按註冊資本比例分享利潤和分擔風險及虧損。

合營者的註冊資本如果轉讓必須經合營各方同意。

■ **第 5 條**　合營企業各方可以現金、實物、工業產權等進行投資。

外國合營者作為投資的技術和設備，必須確實是適合我國需要的先進技術和設備，如果有意以落後的技術和設備進行欺騙，造成損失的，應賠償損失。

中國合營者的投資可包括為合營企業經營期間提供的場地使用權。如果場地使用權未作為中國合營者投資的一部分，合營企業應向中國政府繳納使用費。

上述各項投資應在合營企業的合同和章程中加以規定，其價格（場地除外）由合營各方評議商定。

■ **第 6 條**　合營企業設董事會，其人數組成由合營各方協商，在合同、章程中確定，並由合營各方委派和撤換。董事會設董事長 1 人，由中國合營者擔任，副董事長 1 人或 2 人，由外國合營者擔任。董事會處理重大問題，由合營各方根據平等互利原則協商決定。

董事會的職權是按合營企業章程規定，討論決定合營企業的一切重大問題：企業發展規劃、生產經營活動方案、收支預算、利潤分配、勞動工資計劃、停業，以及總經理、副總經理、總工程師、總會計師、審計師的任命或聘請及其職權和待遇等。

正副總經理（或正副廠長）由合營各方分別擔任。

合營企業職工的僱用、解僱，依法由合營各方的協議、合同規定。

■ **第 7 條** 合營企業獲得的毛利潤，按中華人民共和國稅法規定繳納合營企業所得稅後，扣除合營企業章程規定的儲備基金、職工獎勵及福利基金、企業發展基金，淨利潤根據合營各方註冊資本的比例進行分配。

具有世界先進技術水平的合營企業開始獲利的頭兩年至 3 年可申請減免所得稅。

外國合營者將分得的淨利潤用於在中國境內再投資時，可申請退還已繳納的部分所得稅。

■ **第 8 條** 合營企業應在中國銀行或者經中國銀行同意的銀行開戶。

合營企業的有關外匯事宜，應遵照中華人民共和國外匯管理條例辦理。

合營企業在其經營活動中，可直接向外國銀行籌措資金。

合營企業的各項保險應向中國的保險公司投保。

■ **第 9 條** 合營企業生產經營計劃，應報主管部門備案，並通過經濟合同方式執行。

合營企業所需原材料、燃料、配套件等，應盡先在中國購買，也可由合營企業自籌外匯，直接在國際市場上購買。

鼓勵合營企業向中國境外銷售產品。出口產

品可由合營企業直接或與其有關的委托機構向國外市場出售，也可通過中國外貿機構出售。合營企業產品也可在中國市場銷售。

合營企業需要時可在中國境外設立分支機構。

■ **第 10 條** 外國合營者在履行法律和協議、合同規定的義務後分得的淨利潤，在合營企業期滿或者中止時所分得的資金以及其它資金，可按合營企業合同規定的貨幣，通過中國銀行按外匯管理條例匯往國外。

鼓勵外國合營者將可匯出的外匯存入中國銀行。

■ **第 11 條** 合營企業的外籍職工的工資收入和其他正當收入，按中華人民共和國稅法繳納個人所得稅後，可通過中國銀行按外匯管理條例匯往國外。

■ **第 12 條** 合營企業合同期限，可按不同行業、不同情況，由合營各方商定。合營企業合同期滿後，如各方同意並報請中華人民共和國外國投資管理委員會批准，可延長期限。延長合同期限的申請，應在合同期滿6個月前提出。

■ **第 13 條** 合營企業合同期滿前，如發生嚴重虧損、一方不履行合同和章程規定的義務、不可抗力等，經合營各方協商同意，報請中華人民共和國外國投資管理委員會批准，並向工商行政管理總局登記，可提前終止合同。如果因違反合同而造成損失的，應由違反合同的一方承擔經濟責任。

■ 第 14 條　合營各方發生糾紛，董事會不能協商解決時，由中國仲裁機構進行調解或仲裁，也可由合營各方協議在其它仲裁機構仲裁。

■ 第 15 條　本法自公布之日起生效。本法修改權屬於全國人民代表大會。

7

《中華人民共和國中外合資經營企業法實施條例》

（1983年9月20日）

第一章　總　則

■ 第1條　為了便於《中華人民共和國中外合資經營企業法》（以下簡稱《中外合資經營企業法》）的順利實施，特制定本條例。

■ 第2條　依照《中外合資經營企業法》批准在中國境內設立的中外合資經營企業（以下簡稱合營企業）是中國的法人，受中國法律的管轄和保護。

■ 第3條　在中國境內設立的合營企業，應能促進中國經濟的發展和科學技術水平的提高，有利於社會主義現代化建設。允許設立合營企業的主要行業是：

（一）能源開發，建築材料工業，化學工業、冶金工業；

（二）機械製造工業，儀器儀表工業，海上石油開採設備的製造業；

（三）電子工業，計算機工業，通訊設備的製造業；

（四）輕工業，紡織工業，食品工業，醫藥和醫療器械工業，包裝工業；

（五）農業，牧業、養殖業；

（六）旅遊和服務業。

■ **第 4 條** 申請設立的合營企業應注重經濟效益，符合下列一項或數項要求：

（一）採用先進技術設備和科學管理方法，能增加產品品種，提高產品質量和產量，節約能源和材料；

（二）有利於企業技術改造，能做到投資少、見效快、收益大；

（三）能擴大產品出口，增加外匯收入；

（四）能培訓技術人員和經營管理人員。

■ **第 5 條** 申請設立合營企業有下列情況之一的，不予批准：

（一）有損中國主權的；

（二）違反中國法律的；

（三）不符合中國國民經濟發展要求的；

（四）造成環境污染的；

（五）簽訂的協議、合同、章程顯屬不公平，損害合營一方權益的。

■ **第 6 條** 除另有規定外，中國合營者的政府主管部門就是合營企業的主管部門（以下簡稱企業主管部門）。如合營企業有兩個或兩個以上的中國合營者並隸屬於不同的部門或地區時，應由有關部門和地區協商確定一個企業主管部門。

企業主管部門對合營企業負指導、幫助和監督的責任。

■ **第 7 條** 在中國法律、法規和合營企業協議、合同、章程規定的範圍內，合營企業有權自主地進行經營管理。各有關部門應給予支持和幫助。

第二章　設立與登記

■ **第 8 條**　在中國境內設立合營企業，必須經中華人民共和國對外經濟貿易部（以下簡稱對外經濟貿易部）審查批准。批准後，由對外經濟貿易部發給批准證書。

凡具備下列條件的，對外經濟貿易部得委托有關的省、自治區、直轄市人民政府或國務院有關部、局（以下簡稱受托機構）審批；

（一）投資總額在國務院規定的金額內，中國合營者的資金來源已落實的；

（二）不需要國家增撥原材料，不影響燃料、動力、交通運輸、外貿出口配額等的全國平衡的。

受托機構批准設立合營企業後，應報對外經濟貿易部備案，並由對外經濟貿易部發給批准證書。

（對外經濟貿易部和受托機構，以下統稱為審批機構。）

■ **第 9 條**　設立合營企業按下列程序辦理：

（一）由中國合營者向企業主管部門呈報擬與外國合營者設立合營企業的項目建議書和初步可行性研究報告。該建議書與初步可行性研究報告，經企業主管部門審查同意並轉報審批機構批准後，合營各方才能進行以可行性研究為中心的各項工作，在此基礎上商簽合營企業協議、合同、章程。

（二）申請設立合營企業，由中國合營者負責向審批機構報送下列正式文件：

（1）設立合營企業的申請書；

（2）合營各方共同編制的可行性研究報告；

（3）由合營各方授權代表簽署的合營企業協議、合同和章程；

（4）由合營各方委派的合營企業董事長、副董事長、董事人選名單；

（5）中國合營者的企業主管部門和合營企業所在地的省、自治區、直轄市人民政府對設立該合營企業簽署的意見。

上列各項文件必須用中文書寫，其中（2）、（3）、（4）項文件可同時用合營各方商定的一種外文書寫。兩種文字書寫的文件具有同等效力。

■ **第 10 條**　審批機構自接到本條例第九條第（二）項規定的全部文件之日起，3 個月內決定批准或不批准。審批機構如發現前述文件有不當之處，應要求限期修改，否則不予批准。

■ **第 11 條**　申請者應在收到批准證書後 1 個月內，按《中華人民共和國中外合資經營企業登記管理辦法》的規定，憑批准證書向合營企業所在地的省、自治區、直轄市工商行政管理局（以下簡稱登記管理機構）辦理登記手續。合營企業的營業執照簽發日期，即為該合營企業的成立日期。

■ **第 12 條** 外國投資者有意在中國設立合營企業，但無中國方面具體合作對象的，可提出合營項目的初步方案，委託中國國際信托投資公司或有關省、自治區、直轄市的信托投資機構和有關政府部門、民間組織介紹合作對象。

■ **第 13 條** 本章所述的合營企業協議，是指合營各方對設立合營企業的某些要點和原則達成一致意見而訂立的文件。

合營企業合同，是指合營各方為設立合營企業就相互權利、義務關係達成一致意見而訂立的文件。

合營企業章程，是按照合營企業合同規定的原則，經合營各方一致同意，規定合營企業的宗旨、組織原則和經營管理方法等事項的文件。

合營企業協議與合營企業合同有抵觸時，以合營企業合同為准。

經合營各方同意，也可以不訂立合營企業協議而只訂立合營企業合同、章程。

■ **第 14 條** 合營企業合同應包括下列主要內容：

（一）合營各方的名稱、註冊國家、法定地址和法定代表的姓名、職務、國籍；

（二）合營企業名稱、法定地址、宗旨、經營範圍和規模；

（三）合營企業的投資總額，註冊資本，合營各方的出資額、出資比例、出資方式、出資的繳付期限以及出資額欠繳、轉讓的規定；

（四）合營各方利潤分配和虧損分擔的比例；

（五）合營企業董事會的組成、董事名額的分配以及總經理、副總經理及其他高級管理人員的職責、權限和聘用辦法；

（六）採用的主要生產設備、生產技術及其來源；

（七）原材料購買和產品銷售方式，產品在中國境內和境外銷售的比例；

（八）外匯資金收支的安排；

（九）財務、會計、審計的處理原則；

（十）有關勞動管理、工資、福利、勞動保險等事項的規定；

（十一）合營企業期限、解散及清算程序；

（十二）違反合同的責任；

（十三）解決合營各方之間爭議的方式和程序；

（十四）合同文本採用的文字和合同生效的條件。

合營企業合同的附件，與合營企業合同具有同等效力。

■ **第 15 條** 合營企業合同的訂立、效力、解釋、執行及其爭議的解決，均應適用中國的法律。

■ **第 16 條** 合營企業章程應包括下列主要內容：

（一）合營企業名稱及法定地址；

（二）合營企業的宗旨、經營範圍和合營期

限；

（三）合營各方的名稱、註冊國家、法定地址、法定代表的姓名、職務、國籍；

（四）合營企業的投資總額、註冊資本，合營各方的出資額、出資比例、出資額轉讓的規定，利潤分配和虧損分擔的比例；

（五）董事會的組成、職權和議事規則，董事的任期，董事長、副董事長的職責；

（六）管理機構的設置，辦事規則，總經理、副總經理及其他高級管理人員的職責和任免方法；

（七）財務、會計、審計制度的原則；

（八）解散和清算；

（九）章程修改的程序。

■ 第 17 條　合營企業協議、合同和章程經審批機構批准後生效，其修改時同。

■ 第 18 條　審批機構和登記管理機構對合營企業合同、章程的執行負有監督檢查的責任。

第三章　組織形式與註冊資本

■ 第 19 條　合營企業為有限責任公司。

合營各方對合營企業的責任以各自認繳的出資額為限。

■ 第 20 條　合營企業的投資總額（含企業借款），是指按照合營企業合同、章程規定的生產規模需要投入的基本建設資金和生產流動資金的總和。

■ 第 21 條　合營企業的註冊資本，是指為設立合營企業在登記管理機構登記的資本總額，應為合營各方認繳的出資額之和。

合營企業的註冊資本一般應以人民幣表示，也可以用合營各方約定的外幣表示。

■ 第 22 條　合營企業在合營期內不得減少其註冊資本。

■ 第 23 條　合營一方如向第三者轉讓其全部或部分出資額，須經合營他方同意，並經審批機構批准。

合營一方轉讓其全部或部分出資額時，合營他方有優先購買權。

合營一方向第三者轉讓出資額的條件，不得比向合營他方轉讓的條件優惠。

違反上述規定，其轉讓無效。

■ 第 24 條　合營企業註冊資本的增加、轉讓或以其他方式處置，應由董事會會議通過，並報原審批機構批准，向原登記管理機構辦理變更登記手續。

第四章　出資方式

■ 第 25 條　合營者可以用貨幣出資，也可以用建築物、廠房、機器設備或其他物料、工業產權、專有技術、場地使用權等作價出資。以建築物、廠房、機器設備或其他物料、工業產權、專有技術作為出資的，其作價由合營各方按照公平合理的原則協商確定，或聘請合營各方同意的第三者評定。

■ 第 26 條　外國合營者出資的外幣，按繳款當日中華人民共和國國家外匯管理局（以下簡稱國家外匯管理局）公布的外匯牌價折算成人民幣或套算成約定的外幣。

中國合營者出資的人民幣現金，如需折合外幣，按繳款當日國家外匯管理局公布的外匯牌價折算。

■ 第 27 條　作為外國合營者出資的機器設備或其他物料，必須符合下列各項條件：

（一）為合營企業生產所必不可少的；

（二）中國不能生產，或雖能生產，但價格過高或在技術性能和供應時間上不能保證需要的；

（三）作價不得高於同類機器設備或其他物料當時國際市場價格。

■ 第 28 條　作為外國合營者出資的工業產權或專有技術，必須符合下列條件之一：

（一）能生產中國急需的新產品或出口適銷產品的；

（二）能顯著改進現有產品的性能、質量、提高生產效率的；

（三）能顯著節約原材料、燃料、動力的。

■ 第 29 條　外國合營者以工業產權或專有技術作為出資，應提交該工業產權或專有技術的有關資料，包括專利證書或商標註冊證書的複製件、有效狀況及其技術特性、實用價值、作價的計算根據、與中國合營者簽訂的作價協議等有關文件，作為合營合同的附件。

■ 第 30 條 外國合營者作為出資的機器設備或其他物料、工業產權或專有技術，應經中國合營者的企業主管部門審查同意，報審批機構批准。

■ 第 31 條 合營各方應按合同規定的期限繳清各自的出資額。逾期未繳或未繳清的，應按合同規定支付遲延利息或賠償損失。

■ 第 32 條 合營各方繳付出資額後，應由中國註冊的會計師驗證，出具驗資報告後，由合營企業據以發給出資證明書。出資證明書載明下列事項：合營企業名稱；合營企業成立的年、月、日；合營者名稱（或姓名）及其出資額、出資的年、月、日；發給出資證明書的年、月、日。

第五章 董事會與經營管理機構

■ 第 33 條 董事會是合營企業的最高權力機構，決定合營企業的一切重大問題。

■ 第 34 條 董事會成員不得少於 3 人。董事名額的分配由合營各方參照出資比例協商確定。

董事由合營各方委派。董事長由中國合營者委派，副董事長由外國合營者委派。

董事的任期為 4 年，經合營各方繼續委派可以連任。

■ 第 35 條 董事會會議每年至少召開一次，由董事長負責召集並主持。董事長不能召集時，由董事長委託副董事長或其他董事負責召集並主持董事會會議。經 1/3 以上董事提議，可由董事長召開董事會臨時會議。

董事會會議應有 2/3 以上董事出席方能舉行。董事不能出席，可出具委托書委托他人代表其出席和表決。

董事會會議一般應在合營企業法定地址所在地舉行。

■ 第 36 條　下列事項由出席董事會會議的董事一致通過方可作出決議：

（一）合營企業章程的修改；

（二）合營企業的中止、解散；

（三）合營企業註冊資本的增加、轉讓；

（四）合營企業與其他經濟組織的合併。

其他事項，可以根據合營企業章程載明的議事規則作出決議。

■ 第 37 條　董事長是合營企業的法定代表。董事長不能履行職責時，應授權副董事長或其他董事代表合營企業。

■ 第 38 條　合營企業設經營管理機構，負責企業的日常經營管理工作。經營管理機構設總經理一人，副總經理若干人。副總經理協助總經理工作。

■ 第 39 條　總經理執行董事會會議的各項決議，組織領導合營企業的日常經營管理工作。在董事會授權範圍內，總經理對外代表合營企業，對內任免下屬人員，行使董事會授予的其他職權。

■ 第 40 條　總經理、副總經理由合營企業董事會聘請，可以由中國公民擔任，也可以由外國公民擔任。

經董事會聘請，董事長、副董事長、董事可以兼任合營企業的總經理、副總經理或其他高級管理職務。

總經理處理重要問題時，應同副總經理協商。

總經理或副總經理不得兼任其他經濟組織的總經理或副總經理，不得參與其他經濟組織對本企業的商業競爭。

■ **第 41 條**　總經理、副總經理及其他高級管理人員有營私舞弊或嚴重失職行為的，經董事會決議可以隨時解聘。

■ **第 42 條**　合營企業需要在國外和港澳地區設立分支機構（含銷售機構）時，應報對外經濟貿易部批准。

第六章　引進技術

■ **第 43 條**　本章所說的引進技術，是指合營企業通過技術轉讓的方式，從第三者或合營者獲得所需要的技術。

■ **第 44 條**　合營企業引進的技術應是適用的、先進的，使其產品在國內具有顯著的社會經濟效益或在國際市場上具有競爭能力。

■ **第 45 條**　在訂立技術轉讓協議時，必須維護合營企業獨立進行經營管理的權利，並參照本條例第 29 條的規定，要求技術輸出方提供有關的資料。

■ 第 46 條　合營企業訂立的技術轉讓協議，應經企業主管部門審查同意，並報審批機構批准。

技術轉讓協議必須符合以下規定：

（一）技術使用費應公平合理。一般應採取提成方式支付。採取提成方式支付技術使用費時，提成率不得高於國際上通常的水平。提成率應按由該技術所生產產品的淨銷售額或雙方協議的其他合理方式計算。

（二）除雙方另有協議外，技術輸出方不得限制技術輸入方出口其產品的地區、數量和價格。

（三）技術轉讓協議的期限一般不超過 10 年。

（四）技術轉讓協議期滿後，技術輸入方有權繼續使用該項技術。

（五）訂立技術轉讓協議雙方，相互交換改進技術的條件應對等。

（六）技術輸入方有權按自己認為合適的來源購買需要的機器設備、零部件和原材料。

（七）不得含有為中國的法律、法規所禁止的不合理的限制性條款。

第七章　場地使用權及其費用

■ 第 47 條　合營企業使用場地，必須貫徹執行節約用地的原則。所需場地，應由合營企業向所在地的市（縣）級土地主管部門提出申請，經審查批准後，通過簽訂合同取得場地使用權。合同應訂明場地面積、地點、用途、合同期限、場地使用權的費用（以下簡稱場地使用費）、雙方的權利與義務、違反合同的罰則等。

■ 第 48 條　合營企業所需場地的使用權，如已為中國合營者擁有，則中國合營者可將其作為對合營企業的出資，其作價金額應與取得同類場地使用權所應繳納的使用費相同。

■ 第 49 條　場地使用費標準應根據該場地的用途、地理環境條件、徵地拆遷安置費用和合營企業對基礎設施的要求等因素，由所在地的省、自治區、直轄市人民政府規定，並向對外經濟貿易部和國家土地主管部門備案。

■ 第 50 條　從事農業、畜牧業的合營企業，經所在地的省、自治區、直轄市人民政府同意，可按合營企業營業收入的百分比向所在地的土地主管部門繳納場地使用費。

在經濟不發達地區從事開發性的項目，場地使用費經所在地人民政府同意，可以給予特別優惠。

■ 第 51 條　場地使用費在開始用地的 5 年內不調整。以後隨着經濟的發展、供需情況的變化和地理環境條件的變化需要調整時，調整的間隔期應不少於 3 年。

場地使用費作為中國合營者投資的，在該合同期限內不得調整。

■ 第 52 條　合營企業按本條例第 47 條取得的場

地使用權，其場地使用費應按合同規定的用地時間從開始時起按年繳納，第一日曆年用地時間超過半年的按半年計算；不足半年的免繳。在合同期內，場地使用費如有調整，應自調整的年度起按新的費用標準繳納。

■ 第 53 條　合營企業對於准予使用的場地，只有使用權，沒有所有權，其使用權不得轉讓。

第八章　計劃、購買與銷售

■ 第 54 條　合營企業的基本建設計劃（包括施工力量、各種建築材料、水、電、氣等），應根據批准的可行性研究報告編制，並納入企業主管部門的基本建設計劃，企業主管部門應優先予以安排和保證實施。

■ 第 55 條　合營企業的基本建設資金，由合營企業的開戶銀行統一管理。

■ 第 56 條　合營企業按照合營合同規定的經營範圍和生產規模所制訂的生產經營計劃，由董事會批准執行，報企業主管部門備案。

企業主管部門和各級計劃管理部門，不對合營企業下達指令性生產經營計劃。

■ 第 57 條　合營企業所需的機器設備、原材料、燃料、配套件、運輸工具和辦公用品等（以下簡稱物資），有權自行決定在中國購買或向國外購買，但在同等條件下，應盡先在中國購買。

■ 第 58 條　合營企業在中國購買的物資，其供應渠道如下：

（一）屬於計劃分配的物資，納入企業主管部門供應計劃，由物資、商業部門或生產企業按合同保證供應；

（二）屬於物資、商業部門經營的物資，向有關的物資經營單位購買；

（三）屬於市場自由流通的物資，向生產企業或其經銷、代銷機構購買；

（四）屬於外貿公司經營的出口物資，向有關的外貿公司購買。

■ 第 59 條　合營企業需要在中國購置的辦公、生活用品，按需要量購買，不受限制。

■ 第 60 條　中國政府鼓勵合營企業向國際市場銷售其產品。

■ 第 61 條　合營企業生產的產品，屬於中國急需的或中國需要進口的，可以在中國國內市場銷售為主。

■ 第 62 條　合營企業有權自行出口其產品，也可委託外國合營者的銷售機構或中國的外貿公司代銷或經銷。

■ 第 63 條　合營企業在合營合同規定的經營範圍內，進口本企業生產所需的機器設備、零配件、原材料、燃料，凡屬國家規定需要領取進口許可證的，每年編制一次計劃，每半年申領一次，外國合營者作為出資的機器設備或其他物料，可憑審批機構的批准文件直接辦理進口許可證進口。超出合營合同規定範圍進口的物資，凡國家規定需要領取進口許可證的，應另行申領。

合營企業生產的產品，可自主經營出口，凡屬國家規定需要領取出口許可證的，合營企業按本企業的年度出口計劃，每半年申領一次。

■ 第 64 條　合營企業在中國銷售產品，按下列辦法辦理：

（一）屬於計劃分配的物資，通過企業主管部門列入物資管理部門的分配計劃，按計劃銷售給指定的用戶。

（二）屬於物資、商業部門經營的物資，由物資、商業部門向合營企業訂購。

（三）上述兩類物資的計劃收購外的部分，以及不屬於上述兩類的物資，合營企業有權自行銷售或委托有關單位代銷。

（四）合營企業出口的產品，如屬中國的外貿公司所要進口的物資，合營企業可向中國的外貿公司銷售，收取外匯。

■ 第 65 條　合營企業在國內購買物資和所需服務，其價格按下列規定執行：

（一）用於直接生產出口產品的金、銀、鉑、石油、煤炭、木材六種原料，按照國家外匯管理局或外貿部門提供的國際市場價格計價，以外幣或人民幣支付。

（二）購買中國的外貿公司經營的出口商品或進口商品，由供需雙方參照國際市場價格協商定價，以外幣支付。

（三）購買用於生產在中國國內銷售產品所需的燃料用煤、車輛用油和除本條（一）、

（二）項所列外的其他物資的價格，以及為合營企業提供水、電、氣、熱、貨物運輸、勞務、工程設計、諮詢服務、廣告等收取的費用，應與國營企業同等待遇，以人民幣支付。

■ 第 66 條　合營企業在中國國內銷售的產品，除經物價管理部門批准可以參照國際市場價格定價的以外，應執行國家規定價格，實行按質論價，收取人民幣。合營企業制訂的產品銷售價格，應報企業主管部門和物價管理部門備案。

合營企業的出口產品價格，由合營企業自行制定，報企業主管部門和物價管理部門備案。

■ 第 67 條　合營企業與中國其他經濟組織之間的經濟往來，按照有關法律規定和雙方訂立的合同承擔經濟責任，解決合同爭議。

■ 第 68 條　合營企業必須按照有關規定，填報生產、供應、銷售的統計表，報企業主管部門、統計部門和其他有關部門備案。

第九章　稅　務

■ 第 69 條　合營企業應按照中華人民共和國有關法律的規定，繳納各種稅款。

■ 第 70 條　合營企業的職工應根據《中華人民共和國個人所得稅法》繳納個人所得稅。

■ 第 71 條　合營企業進口下列物資免徵關稅和工商統一稅：

（一）按照合同規定作為外國合營者出資的機器設備、零部件和其他物資［其他物料指合營企業建廠（場）以及安裝、加固機器所需材料，下同〕；

（二）合營企業以投資總額內的資金進口的機器設備、零部件和其他物料；

（三）經審批機構批准，合營企業以增加資本所進口的國內不能保證生產供應的機器設備、零部件和其他物料；

（四）合營企業為生產出口產品，從國外進口的原材料、輔料、元器件、零部件和包裝物料。

上述免稅進口物資，經批准在中國國內轉賣或轉用於在中國國內銷售的產品，應照章納稅或補稅。

■ 第 72 條　合營企業生產的出口產品，除國家限制出口的以外，經中華人民共和國財政部批准，可免徵工商統一稅。

合營企業生產的內銷產品，在開辦初期納稅有困難的，可以申請在一定期限內減徵或免徵工商統一稅。

第十章　外匯管理

■ 第 73 條　合營企業的一切外匯事宜，按《中華人民共和國外匯管理暫行條例》和有關管理辦法的規定辦理。

■ 第 74 條　合營企業憑中華人民共和國國家工商行政管理局發給的營業執照，在中國銀行或指定的其他銀行開立外幣存款賬戶和人民幣存款賬戶，由開戶銀行監督收付。

合營企業的一切外匯收入，都必須存入其開戶銀行的外匯存款賬戶；一切外匯支出，從其外匯存款賬戶中支付。存款利率按中國銀行公布的利率執行。

■ **第 75 條**　合營企業的外匯收支一般應保持平衡。根據批准的合營企業的可行性研究報告、合同，產品以內銷為主而外匯不能平衡的，由有關省、自治區、直轄市人民政府或國務院主管部門在留成外匯中調劑解決，不能解決的，由對外經濟貿易部會同中華人民共和國國家計劃委員會審批後，納入計劃解決。

■ **第 76 條**　合營企業在國外或港澳地區的銀行開立外匯存款賬戶，應經國家外匯管理局或其分局批准，並向國家外匯管理局或其分局報告收付情況和提供銀行對賬單。

■ **第 77 條**　合營企業在國外或港澳地區設立的分支機構，凡當地有中國銀行的，應在中國銀行開立賬戶。其年度資產負債表和年度利潤表，應通過合營企業報送國家外匯管理局或其分局。

■ **第 78 條**　合營企業根據經營業務的需要，可以按《中國銀行辦理中外合資經營企業貸款暫行辦法》向中國銀行申請外匯貸款和人民幣貸款。對合營企業的貸款利率按中國銀行公布的利率執行。合營企業也可以從國外或港澳地區的銀行借入外匯資金，但必須向國家外匯管理局或其分局備案。

■ 第 79 條　合營企業的外籍職工和港澳職工的工資和其他正當收益，依法納稅後，減去在中國境內使用的花費，其剩餘部分可以向中國銀行申請全部匯出。

第十一章　財務與會計

■ 第 80 條　合營企業的財務與會計制度，應根據中國有關法律和財務會計制度的規定，結合合營企業的情況加以制定，並報當地財政部門、稅務機構備案。

■ 第 81 條　合營企業設總會計師，協助總經理負責主持企業的財務會計工作。必要時，可設副總會計師。

■ 第 82 條　合營企業設審計師（小的企業可不設），負責審查、稽核合營企業的財務收支和會計賬目，向董事會、總經理提出報告。

■ 第 83 條　合營企業會計年度採用日曆年制，自公曆每年 1 月 1 日起至 12 月 31 日止為一個會計年度。

■ 第 84 條　合營企業會計採用國際通用的權責發生制和借貸記賬法記賬。一切自制憑證、賬簿、報表必須中文書寫，也可以同時用合營各方商定的一種外文書寫。

■ 第 85 條　合營企業原則上採用人民幣為記賬本位幣，經合營各方商定，也可以採用某一種外國貨幣為本位幣。

■ 第 86 條　合營企業的賬目，除按記賬本位幣記錄外，對於現金、銀行存款、其他貨幣款項以及債權債務、收益和費用等，如與記賬本位幣不一致時，還應按實際收付的貨幣記賬。

以外國貨幣記賬的合營企業，除編制外幣的會計報表外，還應另編折合為人民幣的會計報表。

因匯率的差異而發生的匯兑損益，應以實現數為准，作為本年損益列賬。記賬匯率變動，有關外幣各賬戶的賬面餘額，均不作調整。

■ **第 87 條**　合營企業按照《中華人民共和國中外合資經營企業所得税法》繳納所得税後的利潤分配原則如下：

（一）提取儲備基金、職工獎勵及福利基金、企業發展基金，提取比例由董事會確定。

（二）儲備基金除用於墊補合營企業虧損外，經審批機構批准也可以用於本企業增加資本，擴大生產。

（三）按本條（一）項規定提取三項基金後的可分配利潤，如董事會確定分配，應按照合營各方出資比例進行分配。

■ **第 88 條**　以前年度的虧損未彌補前不得分配利潤。以前年度未分配的利潤，可並入本年度利潤分配。

■ **第 89 條**　合營企業應向合營各方、當地税務機關、企業主管部門和同級財政部門報送季度和年度會計報表。

年度會計報表應抄報原審批機構。

■ 第 90 條　合營企業的下列文件、證件、報表，應經中國註冊的會計師驗證和出具證明，方為有效：

（一）合營各方的出資證明書（以物料、場地使用權、工業產權、專有技術作為出資的，應包括合營各方簽字同意的財產估價清單及其協議文件）；

（二）合營企業的年度會計報表；

（三）合營企業清算的會計報表。

第十二章　職　工

■ 第 91 條　合營企業職工的招收、招聘、辭退、辭職、工資、福利、勞動保險、勞動保護、勞動紀律等事宜，按照《中華人民共和國中外合資經營企業勞動管理規定》辦理。

■ 第 92 條　合營企業應加強對職工的業務、技術培訓，建立嚴格的考核制度，使他們在生產、管理技能方面能夠適應現代化企業的要求。

■ 第 93 條　合營企業的工資、獎勵制度必須符合按勞分配、多勞多得的原則。

■ 第 94 條　正副總經理、正副總工程師、正副總會計師、審計師等高級管理人員的工資待遇，由董事會決定。

第十三章　工　會

■ 第 95 條　合營企業職工有權按照《中華人民共和國工會法》（以下簡稱《中國工會法》）和《中國工會章程》的規定，建立基層工會組織，開展工會活動。

■ 第 96 條　合營企業工會是職工利益的代表，有權代表職工同合營企業簽訂勞動合同，並監督合同的執行。

■ 第 97 條　合營企業工會的基本任務是：依法維護職工的民主權利和物質利益；協助合營企業安排和合理使用福利、獎勵基金；組織職工學習政治、科學、技術和業務知識，開展文藝、體育活動；教育職工遵守勞動紀律，努力完成企業的各項經濟任務。

■ 第 98 條　合營企業董事會會議討論合營企業的發展規劃、生產經營活動等重大事項時，工會的代表有權列席會議，反映職工的意見和要求。

在董事會會議研究決定有關職工獎懲、工資制度、生活福利、勞動保護和保險等問題時，工會的代表有權列席會議，董事會應聽取工會的意見，取得工會的合作。

■ 第 99 條　合營企業應積極支持本企業工會的工作。合營企業應按照《中國工會法》的規定為工會組織提供必要的房屋和設備，用於辦公、會議、舉辦職工集體福利、文化、體育事業。合營企業每月按企業職工實際工資總額的 2% 撥交工會經費，由本企業工會按照中華全國總工會制定的有關工會經費管理辦法使用。

第十四章　期限、解散與清算

■ 第 100 條　合營企業的合營期限，根據不同行業和項目的具體情況，由合營各方協商決定。一般項目的合營期限原則上為10年至30年。投資大、建設周期長、資金利潤率低的項目，合營期限也可以30年以上。

■ 第101條　合營企業的合營期限，由合營各方在合營企業協議、合同、章程中作出規定。合營期限從合營企業營業執照簽發之日起算。

合營各方如同意延長合營期限，應在合營期滿前6個月，向審批機構報送由合營各方授權代表簽署的延長合營期限的申請書。審批機構應在接到申請書之日起1個月內予以批復。

合營企業經批准延長合營期限後，應按照《中華人民共和國中外合資經營企業登記管理辦法》的規定，辦理變更登記手續；

■ 第102條　合營企業在下列情況下解散：

（一）合營期限屆滿；

（二）企業發生嚴重虧損，無力繼續經營；

（三）合營一方不履行合營企業協議、合同、章程規定的義務，致使企業無法繼續經營；

（四）因自然災害、戰爭等不可抗力遭受嚴重損失，無法繼續經營；

（五）合營企業未達到其經營目的，同時又無發展前途；

（六）合營企業合同、章程所規定的其他解散原因已經出現。

本條（二）、（三）、（四）、（五）、（六）項情況發生，應由董事會提出解散申請書，報審批機構批准。

在本條（三）項情況下，不履行合營企業協議、合同、章程規定的義務一方，應對合營企業由此造成的損失負賠償責任。

■ 第 103 條 合營企業宣告解散時，董事會應提出清算的程序、原則和清算委員會人選，報企業主管部門審核並監督清算。

■ 第 104 條 清算委員會的成員一般應在合營企業的董事中選任。董事不能擔任或不適合擔任清算委員會成員時，合營企業可聘請在中國註冊的會計師、律師擔任。審批機構認為必要時，可以派人進行監督。

清算費用和清算委員會成員的酬勞應從合營企業現存財產中優先支付。

■ 第 105 條 清算委員會的任務是對合營企業的財產、債權、債務進行全面清查，編制資產負債表和財產目錄，提出財產作價和計算依據，制定清算方案，提請董事會會議通過後執行。

清算期間，清算委員會代表該合資企業起訴和應訴。

■ 第 106 條 合營企業以其全部資產對其債務承擔責任。合營企業清償債務後的剩餘財產按照合營各方的出資比例進行分配，但合營企業協議、合同、章程另有規定的除外。

合營企業解散時，其資產淨額或剩餘財產超過註冊資本的增值部分視同利潤，應依法繳納所得稅。外國合營者分得的資產淨額或剩餘財產超過其出資額的部分，在匯往國外時，應依法繳納所得稅。

■ 第 107 條　合營企業的清算工作結束後，由清算委員會提出清算結束報告，提請董事會會議通過後，報告原審批機構，並向原登記管理機構辦理註銷登記手續，繳銷營業執照。

■ 第 108 條　合營企業解散後，各項賬冊及文件應由原中國合營者保存。

第十五章　爭議的解決

■ 第 109 條　合營各方如在解釋或履行合營企業協議、合同、章程時發生爭議，應盡量通過友好協商或調解解決。如經過協商或調解無效，則提請仲裁司法解決。

■ 第 110 條　合營各方根據有關仲裁的書面協議，提請仲裁。可以在中國國際貿易促進委員會對外經濟貿易仲裁委員會仲裁，按該會的仲裁程序規則進行。如當事各方同意，也可以在被訴一方所在國或第三國的仲裁機構仲裁，按該機構的仲裁程序規則進行。

■ 第 111 條　如合營各方之間沒有仲裁的書面協議，發生爭議的任何一方都可以依法向中國人民法院起訴。

■ 第 112 條　在解決爭議期間，除爭議事項外，合營各方應繼續履行合營企業協議、合同、章程所規定的其他各項條款。

第十六章　附　則

■ 第 113 條　合營企業的外籍職工和港澳職工（包括其家屬），需要經常入、出中國國境的，中國主管簽證機關可簡化手續，予以方便。

■ 第 114 條　合營企業的中國職工，因工作需要出國考察、洽談業務、學習或接受培訓，由企業主管部門負責申請並辦理出國手續。

■ 第 115 條　合營企業的外籍職工和港澳職工，可帶進必需的交通工具和辦公用品，按規定繳納關稅和工商統一稅。

■ 第 116 條　在經濟特區設立的合營企業，如全國人民代表大會、全國人民代表大會常務委員會或國務院通過的法律、法規另有規定的，從其規定。

■ 第 117 條　本條例的解釋權授予對外經濟貿易部。

■ 第 118 條　本條例自公布之日起實施。

附：1、關於《中華人民共和國中外合資經營企業法實施條例》第 100 條的修訂

（1986 年 1 月 15 日）

國務院於 1983 年 9 月 20 日發布的《中華人民共和國中外合資經營企業法實施條例》第一百條規定："合營企業的合營期限，根據不同行業和項目的具體情況，由合營各方協商決定。一般項目的合營期限原

則上為10年至30年。投資大、建設周期長、資金利潤率低的項目，合營期限也可以在 30 年以上。”現修改為：

“合營企業的合營期限，根據不同行業和項目的具體情況，由合營各方協商決定。一般項目的合營期限為10年至30年。投資大、建設周期長、資金利潤率低的項目，由外國合營者提供先進技術或關鍵技術生產尖端產品的項目，或在國際上有競爭能力的產品的項目，其合營期限可以延長到 50 年。經國務院特別批准的可在50年以上。”

附：2、國務院關於修訂《中華人民共和國中外合資經營企業法實施條例》第 86 條第三款的通知

（1987年12月21日）

國務院於 1983 年 9 月 20 日發布的《中華人民共和國中外合資經營企業法實施條例》第 86 條第三款規定：“因匯率的差異而發生的匯兑損益，應以實現數為准，作為本年損益列賬。記賬匯率變動，有關外幣各賬戶的賬面餘額，均不作調整。”現修改為：“因匯率的差異而發生的折合記賬本位幣差額，作為匯兑損益列賬。記賬匯率變動，有關外幣各賬戶的賬面餘額，於年終結賬時，應當按照中國有關法律和財務會計制度的規定進行會計處理。”本修訂自發布之日起施行。

8

《中華人民共和國外資企業法》

（1986年4月12日）

■ **第 1 條**　為了擴大對外經濟合作和技術交流，促進中國國民經濟的發展，中華人民共和國允許外國的企業和其他經濟組織或者個人（以下簡稱外國投資者）在中國境內舉辦外資企業，保護外資企業的合法權益。

■ **第 2 條**　本法所稱的外資企業是指依照中國有關法律在中國境內設立的全部資本由外國投資者投資的企業，不包括外國的企業和其他經濟組織在中國境內的分支機構。

■ **第 3 條**　設立外資企業，必須有利於中國國民經濟的發展，並且採用先進的技術和設備，或者產品全部出口或者大部分出口。

國家禁止或者限制設立外資企業的行業由國務院規定。

■ **第 4 條**　外國投資者在中國境內的投資、獲得的利潤和其他合法權益，受中國法律保護。

外資企業必須遵守中國的法律、法規，不得損害中國的社會公共利益。

■ **第 5 條**　國家對外資企業不實行國有化和徵收；在特殊情況下，根據社會公共利益的需要，對外資企業可以依照法律程序實行徵收，並給予相應的補償。

■ 第 6 條　設立外資企業的申請，由國務院對外經濟貿易主管部門或者國務院授權的機關審查批准。審查批准機關應當在接到申請之日起 90 天內決定批准或者不批准。

■ 第 7 條　設立外資企業的申請經批准後，外國投資者應當在接到批准證書之日起 30 天內向工商行政管理機關申請登記，領取營業執照。外資企業的營業執照簽發日期，為該企業成立日期。

■ 第 8 條　外資企業符合中國法律關於法人條件的規定，依法取得中國法人資格。

■ 第 9 條　外資企業應當在審查批准機關核准的期限內在中國境內投資；逾期不投資的，工商行政管理機關有權吊銷營業執照。

工商行政管理機關對外資企業的投資情況進行檢查和監督。

■ 第 10 條　外資企業分立、合併或者其他重要事項變更，應當報審查批准機關批准，並向工商行政管理機關辦理變更登記手續。

■ 第 11 條　外資企業的生產經營計劃應當報其主管部門備案。

外資企業依照經批准的章程進行經營管理活動，不受干涉。

■ 第 12 條　外資企業僱用中國職工應當依法簽定合同，並在合同中訂明僱用、解僱、報酬、福利、勞動保護、勞動保險等事項。

■ 第 13 條　外資企業的職工依法建立工會組織，開展工會活動，維護職工的合法權益。

外資企業應當為本企業工會提供必要的活動條件。

■ 第 14 條 外資企業必須在中國境內設置會計賬簿，進行獨立核算，按照規定報送會計報表，並接受財政稅務機關的監督。

外資企業拒絕在中國境內設置會計賬簿的，財政稅務機關可以處以罰款，工商行政管理機關可以責令停止營業或者吊銷營業執照。

■ 第 15 條 外資企業在批准的經營範圍內需要的原材料、燃料等物資，可以在中國購買，也可以在國際市場購買；在同等條件下，應當盡先在中國購買。

■ 第 16 條 外資企業的各項保險應當向中國境內的保險公司投保。

■ 第 17 條 外資企業依照國家有關稅收的規定納稅並可以享受減稅、免稅的優惠待遇。

外資企業將繳納所得稅後的利潤在中國境內再投資的，可以依照國家規定申請退還再投資部分已繳納的部分所得稅稅款。

■ 第 18 條 外資企業的外匯事宜，依照國家外匯管理規定辦理。

外資企業應當在中國銀行或者國家外匯管理機關指定的銀行開戶。

外資企業應當自行解決外匯收支平衡。外資企業的產品經有關主管機關批准在中國市場銷售，因而造成企業外匯收支不平衡的，由批准其在中國市場銷售的機關負責解決。

■ 第 19 條 外國投資者從外資企業獲得的合法利潤、其他合法收入和清算後的資金，可以匯往國外。

外資企業的外籍職工的工資收入和其他正當收入，依法繳納個人所得稅後，可以匯往國外。

■ 第 20 條 外資企業的經營期限由外國投資者申報，由審查批准機關批准。期滿需要延長的，應當在期滿 180 天以前向審查批准機關提出申請。審查批准機關應當在接到申請之日起 30 天內決定批准或者不批准。

■ 第 21 條 外資企業終止，應當及時公告，按照法定程序進行清算。在清算完結前，除為了執行清算外，外國投資者對企業財產不得處理。

■ 第 22 條 外資企業終止，應當向工商行政管理機關辦理註銷登記手續，繳銷營業執照。

■ 第 23 條 國務院對外經濟貿易主管部門根據本法制定實施細則，報國務院批准後施行。

■ 第 24 條 本法自公布之日起施行。

9

《中華人民共和國中外合作經營企業法》

（1988年4月13日）

■ **第 1 條**　為了擴大對外經濟合作和技術交流，促進外國的企業和其他經濟組織或者個人（以下簡稱外國合作者）按照平等互利的原則，同中華人民共和國的企業或其他經濟組織（以下簡稱中國合作者）在中國境內共同舉辦中外合作經營企業（以下簡稱合作企業），特制定本法。

■ **第 2 條**　中外合作者舉辦合作企業，應當依照本法的規定，在合作企業合同中約定投資或者合作條件、收益或者產品的分配、風險和虧損的分擔、經營管理的方式和合作企業終止時財產的歸屬等事項。

合作企業符合中國法律關於法人條件的規定的，依法取得中國法人資格。

■ **第 3 條**　國家依法保護合作企業和中外合作者的合法權益。

合作企業必須遵守中國的法律、法規，不得損害中國的社會公共利益。

國家有關機關依法對合作企業實行監督。

■ **第 4 條**　國家鼓勵舉辦產品出口的或者技術先進的生產型合作企業。

■ **第 5 條**　申請設立合作企業，應當將中外合作者簽訂的協議、合同、章程等文件，報國務院對外經濟貿易主管部門或者國務院授權的部門和地方政府（以下簡稱審查批准機關）審查批准。審查批准機關應當自接到申請之日起 45 天內決定批准或者不批准。

■ **第 6 條**　設立合作企業的申請經批准後，應當自接到批准證書之日起 30 天內向工商行政管理機關申請登記，領取營業執照。合作企業的營業執照簽發日期，為該企業的成立日期。

合作企業應當自成立之日起 30 天內向稅務機關辦理稅務登記。

■ **第 7 條**　中外合作者在合作期限內協商同意對合作企業合同作重大變更的，應當報審查批准機關批准；變更內容涉及法定工商登記項目、稅務登記項目的，應當向工商行政管理機關、稅務機關辦理變更登記手續。

■ **第 8 條**　中外合作者的投資或者提供的合作條件可以是現金、實物、土地使用權、工業產權、非專利技術和其他財產權利。

■ **第 9 條**　中外合作者應當依照法律、法規的規定和合作企業合同的約定，如期履行繳足投資、提供合作條件的義務。逾期不履行的，由工商行政管理機關限期履行；限期屆滿仍未履行的，由審查批准機關和工商行政管理機關依照國家有關規定處理。

中外合作者的投資或者提供的合作條件，由中國註冊會計師或者有關機構驗證並出具證明。

■ 第 10 條　中外合作者的一方轉讓其在合作企業合同中的全部或者部分權利、義務的，必須經他方同意，並報審查批准機關批准。

■ 第 11 條　合作企業依照經批准的合作企業合同、章程進行經營管理活動。合作企業的經營管理自主權不受干涉。

■ 第 12 條　合作企業應當設立董事會或者聯合管理機構，依照合作企業合同或者章程的規定，決定合作企業的重大問題。中外合作者的一方擔任董事會的董事長、聯合管理機構的主任的，由他方擔任副董事長、副主任。董事會或者聯合管理機構可以決定任命或者聘請總經理負責合作企業的日常經營管理工作。總經理對董事會或者聯合管理機構負責。

合作企業成立後改為委托中外合作者以外的他人經營管理的，必須經董事會或者聯合管理機構一致同意，報審查批准機關批准，並向工商行政管理機關辦理變更登記手續。

■ 第 13 條　合作企業職工的錄用、辭退、報酬、福利、勞動保護、勞動保險等事項，應當依法通過訂立合同加以規定。

■ 第 14 條　合作企業的職工依法建立工會組織，開展工會活動，維護職工的合法權益。

合作企業應當為本企業工會提供必要的活動條件。

■ 第 15 條　合作企業必須在中國境內設置會計賬簿，依照規定報送會計報表，並接受財政稅務機關的監督。

合作企業違反前款規定，不在中國境內設置會計賬簿的，財政稅務機關可以處以罰款，工商行政管理機關可以責令停止營業或者吊銷其營業執照。

■ **第 16 條**　合作企業應當憑營業執照在國家外匯管理機關允許經營外匯業務的銀行或者其他金融機構開立外匯賬戶。

合作企業的外匯事宜，依照國家有關外滙管理的規定辦理。

■ **第 17 條**　合作企業可以向中國境內的金融機構借款，也可以在中國境外借款。

中外合作者用作投資或者合作條件的借款及其擔保，由各方自行解決。

■ **第 18 條**　合作企業的各項保險應當向中國境內的保險機構投保。

■ **第 19 條**　合作企業可以在經批准的經營範圍內，進口本企業需要的物質，出口本企業生產的產品。合作企業在經批准的經營範圍內所需的原材料、燃料等物質，可以在國內市場購買，也可以在國際市場購買。

■ **第 20 條**　合作企業應當自行解決外匯收支平衡。合作企業不能自行解決外匯收支平衡的，可以依照國家規定申請有關機關給予協助。

■ **第 21 條**　合作企業依照國家有關稅收的規定繳納稅款並可以享受減稅、免稅的優惠待遇。

■ **第 22 條**　中外合作者依照合作企業合同的約

定，分配收益或者產品，承擔風險和虧損。

中外合作者在合作企業合同中約定合作期滿時合作企業的全部固定資產歸中國合作者所有的，可以在合作企業合同中約定外國合作者在合作期限內先行回收投資的辦法。合作企業合同約定外國合作者在繳納所得稅前回收投資的，必須向財政稅務機關提出申請，由財政稅務機關依照國家有關稅收的規定審查批准。

依照前款規定外國合作者在合作期限內先行回收投資的，中外合作者應當依照有關法律的規定和合作企業合同的約定對合作企業的債務承擔責任。

■ 第 23 條　外國合作者在履行法律規定和合作企業合同約定的義務後分得的利潤、其他合法收入和合作企業終止時分得的資金，可以依法匯往國外。

合作企業的外籍職工的工資收入和其他合法收入，依法繳納個人所得稅後，可以匯往國外。

■ 第 24 條　合作企業期滿或者提前終止時，應當依照法定程序對資產和債權、債務進行清算。中外合作者應當依照合作企業合同的約定，確定合作企業財產的歸屬。

合作企業期滿或者提前終止，應當向工商行政管理機關和稅務機關辦理註銷登記手續。

■ 第 25 條　合作企業的合作期限由中外合作者協商，並在合作企業合同中訂明。中外合作者同意延長合作期限的，應當在距合作期滿 180 天前向審查批准機關提出申請。審查批准機關應當自接到申請之日起30天內決定批准或者不批准。

■ 第 26 條　中外合作者履行合作企業合同、章程發生爭議時，應當通過協商或者調解解決。中外合作者不願通過協商、調解解決的，或者協商、調解不成的，可以依照合作企業合同中的仲裁條款或者事後達成的書面仲裁協議，提交中國仲裁機構或者其他仲裁機構仲裁。

　　中外合作者沒有在合作企業合同中訂立仲裁條款，事後又沒有達成書面仲裁協議的，可以向中國法院起訴。

■ 第 27 條　國務院對外經濟貿易主管部門根據本法制定實施細則，報國務院批准後施行。

■ 第28條　本法自公布之日起施行。

10

《國務院關於鼓勵外商投資的規定》

（1986年10月11日）

■ **第1條**　為了改善投資環境，更好地吸收外商投資，引進先進技術，提高產品質量，擴大出口創匯，發展國民經濟，特制定本規定。

■ **第2條**　國家鼓勵外國的公司、企業和其他經濟組織或者個人（以下簡稱外國投資者）在中國境內舉辦中外合資經營企業、中外合作經營企業和外資企業（以下簡稱外商投資企業）。

國家對下列外商投資企業給予特別優惠：

一、產品主要用於出口，年度外匯總收入額減除年度生產經營外匯支出額和外國投資者匯出分得利潤所需外匯額以後，外匯有結餘的生產型企業（以下簡稱產品出口企業）；

二、外國投資者提供先進技術，從事新產品開發，實現產品升級換代，以增加出口創匯或者替代進口的生產型企業（以下簡稱先進技術企業）。

■ **第3條**　產品出口企業和先進技術企業，除按照國家規定支付或者提取中方職工勞動保險、福利費用和住房補助基金外，免繳國家對職工的各項補貼。

■ **第4條**　產品出口企業和先進技術企業的場地使

用費，除大城市市區繁華地段外，按下列標準計收：

一、開發費和使用費綜合計收的地區，為每年每平方米5元至20元；

二、開發費一次性計收或者上述企業自行開發場地的地區，使用費最高為每年每平方米 3元。

前款規定的費用，地方人民政府可以酌情在一定期限內免收。

■ **第5條** 對產品出口企業和先進技術企業優先提供生產經營所需的水、電、運輸條件和通信設施，按照當地國營企業收費標準計收費用。

■ **第6條** 產品出口企業和先進技術企業在生產和流通過程中需要借貸的短期周轉資金，以及其他必需的信貸資金，經中國銀行審核後，優先貸放。

■ **第7條** 產品出口企業和先進技術企業的外國投資者，將其從企業分得的利潤匯出境外時，免繳匯出額的所得稅。

■ **第8條** 產品出口企業按照國家規定減免企業所得稅期滿後，凡當年企業出口產品產值達到當年企業產品產值 70% 以上的，可以按照現行稅率減半繳納企業所得稅。

經濟特區和經濟技術開發區的以及其他已經按 15% 的稅率繳納企業所得稅的產品出口企業，符合前款條件的，減按 10% 的稅率繳納企業所得稅。

■ 第 9 條　先進技術企業按照國家規定減免企業所得稅期滿後，可以延長 3 年減半繳納企業所得稅。

■ 第 10 條　外國投資者將其從企業分得的利潤，在中國境內再投資舉辦、擴建產品出口企業或者先進技術企業，經營期不少於 5 年的，經申請稅務機關核准，全部退還其再投資部分已繳納的企業所得稅稅款。經營期不足 5 年撤出該項投資的，應當繳回已退的企業所得稅稅款。

■ 第 11 條　對外商投資企業的出口產品，除原油、成品油和國家另有規定的產品外，免徵工商統一稅。

■ 第 12 條　外商投資企業可以自行組織其產品出口，也可以按照國家規定委托代理出口。屬於需要申領出口許可證的產品，按照企業年度出口計劃，每半年申請一次許可證。

■ 第 13 條　外商投資企業為履行其產品出口合同，需要進口（包括國家限制進口）的機械設備、生產用的車輛、原材料、燃料、散件、零部件、元器件、配套件，不再報請審批，免領進口許可證，由海關實行監管，憑企業合同或者進出口合同驗放。

前款所述進口料、件，只限於本企業自用，不得在國內市場出售；如用於內銷產品，應當按照規定補辦進口手續，並照章補稅。

■ 第 14 條　外商投資企業之間，在外匯管理部門監管下，可以相互調劑外匯餘缺。

中國銀行以及經中國人民銀行指定的其他銀行，可以對外商投資企業開辦現匯抵押業務，貸放人民幣資金。

■ **第 15 條**　各級人民政府和有關主管部門應當保障外商投資企業的自主權，支持外商投資企業按照國際上先進的科學方法管理企業。

外商投資企業有權在批准的合同範圍內，自行制定生產經營計劃，籌措、運用資金採購生產資料，銷售產品；自行確定工資標準、工資形式和獎勵、津貼制度。

外商投資企業可以根據生產經營需要，自行確定其機構設置和人員編制，聘用或者辭退高級經營管理人員，增加或者辭退職工；可以在當地招聘和招收技術人員、管理人員和工人，被錄用人員所在單位應當給予支持，允許流動；對違反規章制度，造成一定後果的職工，可以根據情節輕重，給予不同處分，直至開除。外商投資企業招聘、招收、辭退或者開除職工，應當向當地勞動人事部門備案。

■ **第 16 條**　各地區、各部門必須執行《國務院關於堅決制止向企業亂攤派的通知》，由省級人民政府制定具體辦法，加強監督管理。

外商投資企業遇有不合理收費的情況可以拒交，也可以向當地經濟委員會直到國家經濟委員會申訴。

■ **第 17 條**　各級人民政府和有關主管部門，應當加強協調工作，提高辦事效率，及時審批外商投資企業申報的需要批復和解決的事宜。由國務院主管部門審批的外商投資企業的協議、合同、章程，審批機關必須在收到全部文件之日起 3 個月以內決定批准或者不批准。

■ **第 18 條**　本規定所指產品出口企業和先進技術企業，由該企業所在地的對外經濟貿易部門會同有關部門根據企業合同確認，並出具證明。

產品出口企業的年度出口實績，如果未能實現企業合同規定的外匯平衡有結餘的目標，應當在下一年度內補繳上一年度已經減免的稅、費。

■ **第 19 條**　本規定除明確規定適用於產品出口企業或者先進技術企業的條款外，其他條款適用於所有外商投資企業。

本規定施行之日前獲准舉辦的外商投資企業，凡符合本規定的優惠條件的，自施行之日起適用本規定。

■ **第 20 條**　香港、澳門、台灣的公司、企業和其他經濟組織或者個人投資舉辦的企業，參照本規定執行。

■ **第 21 條**　本規定由對外經濟貿易部負責解釋。

■ **第 22 條**　本規定自發布之日起施行。

11

《國務院關於台灣同胞到經濟特區投資的特別優惠辦法》

（1983年4月5日）

廣東、福建省人民政府，國務院各部委、各直屬機構：

台灣同胞到深圳、珠海、汕頭、廈門四個經濟特區投資興辦工農業項目，除享受經濟特區現有全部優惠待遇外，再給予下列特別優惠：

一、台灣同胞在經濟特區興辦的獨資企業、合資企業或合作經營企業，凡經營期在 10 年以上的，從獲利年度起，第一至第四年免徵企業所得稅，第五至第九年減半徵收企業所得稅。

二、上列企業使用進口原材料、零配件、元器件生產的產品，凡屬國內市場有銷路又需要進口的，或者投資者提供了先進技術和設備的，允許有 30% 的產品內銷。內銷產品要按國家規定的渠道銷售，並照章徵稅或補稅。

三、上列企業建設期間和投產後5年內、免徵土地使用費。

台灣同胞到珠海、汕頭、廈門三市投資改造舊市區的老企業，其產品只要是以出口為目標的，除按國家原規定的進口生產資料免徵關稅，企業所得稅減按15% 徵收外，還可享受上述特別優惠。

以上辦法也適用於台灣同胞到海南島投資興辦的

企業。考慮到台灣當局至今仍堅持阻止台灣同胞與大陸開展經濟貿易，因此對來大陸投資的台灣同胞應當保密。有關台灣同胞投資項目的協議、合同和執行情況，請廣東、福建兩省主管部門報告中央對台工作領導小組辦公室和國務院辦公廳。

B 廣東省現行法規

12

《廣東省經濟特區土地管理條例》

（1991年5月22日）

第一章 總 則

■ 第1條 為了加強對廣東省經濟特區（以下簡稱特區）的土地管理，合理地開發、利用、保護、經營土地，根據《中華人民共和國土地管理法》和有關法規，制定本條例。

■ 第2條 深圳市人民政府、珠海市人民政府和汕頭經濟特區管理委員會（以下簡稱市政府或管委會），依據國家和省的土地管理的法律、法規，對特區土地實行統一規劃、統一徵用，統一出讓，統一管理。

■ 第3條 中華人民共和國境內外的公司、企業、其他組織和個人，除法律、法規另有規定外，均可依照本條例的規定取得土地使用權，進行土地開發、利用、經營，其合法權益受法律保護。

■ 第4條 特區國有土地實行有償使用制度。土地使用權可以依法出讓、轉讓、出租、抵押或者用於其他經濟活動。

■ 第 5 條　市政府或管委會的國土局（以下簡稱國土局）是特區土地管理的職能機構，負責對土地管理法律、法規及本條例的組織實施和監督檢查。

■ 第 6 條　市政府或管委會為了公共利益的需要，可以依照法律規定對土地實行統一徵用。統一徵用集體所有土地的各項補償費和安置補助費，按照《廣東省土地管理實施辦法》有關規定辦理。

■ 第 7 條　出讓土地使用權價款（含土地使用權出讓金、市政配套設施費用，以下簡稱地價款），作為專項基金管理，主要用於城市建設和土地開發（包括造地）。地價款的管理使用辦法，由市政府或管委會根據國家有關規定制定。

■ 第 8 條　土地使用者應按規定繳付土地使用稅或土地使用費。

土地使用費的標准和繳付辦法由市政府管委會規定。

■ 第 9 條　土地使用權的出讓、轉讓、出租、抵押、繼承、終止，應向市政府或管委會指定的土地房屋權屬登記機關登記。

登記文件可以公開查閱。

登記辦法由市政府或管委會根據國家有關規定制定。

第二章 土地使用權出讓

■ 第 10 條 土地使用權出讓，由市政府或管委會統一組織，由國土局負責實施。

■ 第 11 條 土地使用權出讓，可採取下列方式：

（一）協議；

（二）招標；

（三）拍賣。

土地使用權出讓的具體程序和辦法，由市政府或管委會制定。

■ 第 12 條 土地使用權有償出讓，由國土局與土地使用者簽訂土地使用權出讓合同（以下簡稱出讓合同），明確雙方的權利義務關係。

出讓合同應當包括土地用途、使用年限、地價、投資總額、投資期限、土地利用要求、規劃設計要求、土地使用的附帶條件以及違約責任等內容。

■ 第 13 條 協議、招標方式出讓土地使用權的，土地使用者應按出讓合同規定的期限和方式向國土局繳付地價款；逾期未全部繳付的，國土局有權解除出讓合同，並可請求違約賠償。

國土局未按出讓合同規定提供土地使用權的，土地使用者有權解除出讓合同，並可請求違約賠償。

■ 第 14 條 以拍賣方式出讓土地使用權的，土地使用者應在出讓合同生效之日向國土局繳付地價款 10% 的定金，餘額應在出讓合同生效之日起六十日內全部付清；逾期未付的，國土局有權解除合同，已收定金不予返還。

■ **第 15 條** 土地使用者付清地價款後，應在三十日內辦理登記，由登記機關發給房地產證或土地使用證，確認其使用權。

■ **第 16 條** 土地使用權出讓年限，由市政府或管委會按照國家有關規定，根據具體情況確定。

■ **第 17 條** 土地使用者需要改變土地出讓合同規定的土地用途和規劃要求的，必須事先向國土局提出申請，由國土局提交市規劃部門審核同意後，重新簽訂出讓合同或補充合同。土地使用者應按市政府或管委會的規定補足地價款，並在三十日內辦理變更登記。

■ **第 18 條** 土地使用權期滿，土地使用權及其地上建築物、其他附着物無償歸市政府或管委會所有。土地使用者應交還房地產證或土地使用證及房屋產權證，並辦理註銷登記。

■ **第 19 條** 土地使用權期滿，土地使用者可以在期滿前六個月申請續期。經市政府或管委會批准續期的，應與國土局重新簽訂出讓合同，繳付地價款和辦理使用權登記手續。

■ **第 20 條** 土地使用者不按出讓合同規定期限投資建設時，國土局有權解除出讓合同，經市政府或管委會批准，可收回土地使用權。

■ **第 21 條** 國家機關、部隊、文化、衛生、教育、科研單位和市政公共設施等非營利性用地，經市政府或管委會批准可以減交地價款。

前款土地使用者未經國土局批准，不得改變土地用途，不得將土地使用權轉讓、出租或抵押。經批准改變土地用途的，應辦理有關手續，並按市場價格補交地價款；單位撤銷或搬遷的，由國土局按國家有關規定處理。

■ 第 22 條 劃撥土地使用權的轉讓、出租、抵押，按國家有關規定辦理。

■ 第 23 條 本條例公布前，用地單位、個人同市政府或管委會及其授權部門簽訂的出讓合同未超過規定期限的，仍然有效。但沒有確定土地使用年限和地價的，應補辦國有土地使用權登記，由國土局根據市政府或管委會規定的標準確定土地使用年限和地價款。

■ 第 24 條 國土局應根據城市規劃和基本建設投資年度計劃、特區產業政策，會同規劃、計劃及有關產業管理部門制訂年度土地供應計劃，報經市政府或管委會按照國家有關審批權限規定批准後實施。

國土局應依照經批准的年度土地供應計劃出讓土地。

■ 第 25 條 因國家計劃或特區城市規劃調整，致使土地使用者不能按合同規定進行開發建設並造成損失的，市政府或管委會應給予相應補償。

■ 第 26 條 通過招標、拍賣取得土地使用權而又未具有房地產經營權的土地使用者，可憑出讓合同向市政府或管委會辦理該地塊的專項經營權。

■ 第 27 條 國家和省設在特區的單位的土地使用

權轉讓、出租、抵押，需經其主管部門批准。

第三章 土地使用權轉讓

■ 第 28 條 土地使用者轉讓土地使用權，須具備下列條件：

（一）付清全部地價款；

（二）領有房地產證或土地使用證；

（三）除地價款外，投入開發建設的資金已達合同規定總投資額的 25% 以上。

■ 第 29 條 土地使用權轉讓時，其地上建築物、其他附着物所有權隨之轉讓。

■ 第 30 條 地上建築物、其他附着物的所有人或者共有人，享有該建築物、其他附着物使用範圍內的土地使用權。

土地使用者轉讓地上建築物、其他附着物所有權時，其使用範圍內的土地使用權隨之轉讓，但地上建築物、其他附着物作為動產轉讓的除外。

■ 第 31 條 土地使用者已付清全部地價款的，經國土局批准，土地使用權連同地上建築物、其他附着物可以預售。

■ 第 32 條 轉讓土地使用權，雙方當事人應簽訂轉讓合同，並於合同生效之日起十五日內辦理轉讓登記，換領房地產證或土地使用證。

■ 第 33 條 土地使用權轉讓時，該地塊發生增值的，轉讓人應向市政府或管委會繳付土地增值費。土地增值費的標準，由市政府或管委會規定。

■ 第 34 條　土地使用權轉讓後，受讓人必須履行原出讓合同規定的義務。

■ 第 35 條　土地使用權轉讓價格明顯低於市場價格時，市政府或管委會有優先購買權。

土地使用權轉讓的市場價格不合理上漲時，市政府或管委會可以採取必要的措施。

第四章　土地使用權出租

■ 第 36 條　土地使用權或土地使用權連同地上建築物、其他附着物出租，出租人與承租人應簽訂租賃合同，並在合同生效之日起三十日內辦理租賃登記。

租賃合同不得違背國家法律、法規和出讓合同的規定。

■ 第 37 條　土地使用權出租後，出租人必須繼續履行土地使用權出讓合同。

■ 第 38 條　未按土地使用權出讓合同規定的期限和條件投資開發、利用土地的，土地使用權不得出租。

第五章　土地使用權抵押

■ 第 39 條　土地使用權或土地使用權連同地上建築物、其他附着物抵押的，抵押人與抵押權人應簽訂抵押合同，並辦理抵押登記。抵押權因債務清償或其他原因而消滅的，應在三十日內辦理註銷登記。

抵押貸款，按照《廣東省經濟特區抵押貸款管理規定》辦理。

■ 第 40 條 抵押人不履行抵押合同償還債務的，抵押權人有權委托拍賣機構拍賣抵押人用於抵押的土地使用權及地上建築物、其他附着物，從拍賣所得價款優先得到償還。並自土地使用權及地上建築物、其他附着物拍賣之日起三十日內辦理土地使用權轉讓登記，並按規定繳付土地增值費。

■ 第 41 條 抵押權人按合同約定佔管或依法行使抵押權時，應當履行出讓合同規定的義務。

第六章 地政管理

■ 第 42 條 國土局負責辦理下列地政事項：

（一）調查土地資源，編制土地利用總體規劃和建立地籍管理制度；

（二）接受土地權屬登記申請，核發房地產證或土地使用證；

（三）辦理土地使用權出讓、轉讓、出租、抵押、繼承、終止登記；

（四）擬定和實施國有土地使用權出讓的計劃和方案；

（五）代表市政府或管委會辦理統一徵地，收取有關土地費用；

（六）依據國家、省土地管理法律、法規及本條例，對違反土地管理法律、法規行為作出行政處罰決定；

（七）土地管理的其他事宜。

■ 第 43 條　特區土地利用總體規劃，經市政府或管委會審核後實施，報省政府備案。

■ 第 44 條　被市政府或管委會依法徵用、收回的土地，從作出徵用、收回土地決定之日起註銷所有權或使用權證書。

當事人對被徵用、收回土地使用權決定不服的，可在收到決定書之日起十五日內向上一級政府申請復議或向人民法院起訴。上一級政府應在收到申請書之日起兩個月內作出決定。當事人對復議決定不服的，可在收到復議決定書之日起十五日內向人民法院起訴。

■ 第 45 條　土地所有權或使用權有爭議的，由當事人協商解決；協商不能解決的，由市政府或管委會處理。但省政府認為必要時，由省政府處理。當事人對處理決定不服的，可在接到處理決定通知之日起十五日內向人民法院起訴。

第七章　法律責任

■ 第 46 條　違反本條例規定，未經批准或採取欺騙、串通壓價等不正當手段取得土地使用權的，視同非法佔用土地，按《中華人民共和國土地管理法實施條例》第 30 條的規定處理。

■ 第 47 條　轉讓、抵押、出租土地使用權，未按規定辦理登記的，不具有法律效力，國土局應予以糾正，並可根據情節給予警告。對經警告仍不糾正的，視同非法轉讓土地，可按《中華人民共和國土地管理法實施條例》第 31 條處理，情節較重的，經市政府或管委會批准，收回其土地使用權。

■ 第 48 條　未經批准，擅自改變土地用途的，由國土局責令改正，並可沒收非法所得。拒不改正的，國土局報經市政府或管委會批准，可收回該土地使用權。

■ 第 49 條　當事人對國土局作出的執行處罰決定不服的，可在接到處罰決定通知之日起十五日內，向人民法院起訴，期滿不起訴又不履行的，由國土局申請人民法院強制執行。

■ 第 50 條　在出讓、轉讓土地使用權過程中，違反國家法律，構成犯罪的，由司法機關依法追究刑事責任。

第八章　附　則

■ 第 51 條　本條例施行前土地使用權已轉讓、出租、抵押，但尚未按有關規定履行登記手續的，應在本條例施行之日起六個月內辦理登記手續。

■ 第 52 條　本條例的實施細則、辦法規定，由市政府或管委會制定，報省政府批准，並報廣東省人民代表大會常務委員會備案。

■ 第 53 條　本條例自公布之日起施行。1987 年 12 月 29 日廣東省第六屆人民代表大會常務委員會第三十次會議通過的《深圳經濟特區土地管理條例》同時廢止。

13

《廣東省土地管理實施辦法》

（1991年8月23日）

■ 第1條 根據《中華人民共和國土地管理法》（以下簡稱《土地管理法》），結合本省的實際情況，制定本實施辦法。

■ 第2條 省國土廳、市、縣（區）國土局是同級人民政府主管本行政區域內土地統一管理工作的職能機構，負責《土地管理法》和本實施辦法的組織實施和檢查監督。

鄉（鎮）人民政府負責本行政區域內的土地管理工作。

■ 第3條 依法使用國有土地的單位和個人，只享有按原確定用途的土地使用權，沒有土地所有權；改變國有土地使用權或用途的，或將農業用地改為非農業用地，須向縣級以上國土管理部門提出申請，經同級人民政府批准後，依法辦理變更登記手續和更換證書。

國營農、林、牧、漁、鹽場使用的土地的面積及其界線，任何單位和個人不得變更，但依法劃撥的除外。

■ 第4條 集體和個人承包經營的集體所有的土地，以及依法劃定的宅基地、自留地、自留山，只享有按原確定用途的土地使用權，沒有土地所有權。不得擅自在自留地、自留山和承包地上毀田打坯、建房、葬墳和開礦。

集體所有的土地所有權的變更，須經縣級人民政府批准，到同級國土管理部門辦理變更登記手續和更換證書。

■ **第 5 條** 任何單位和個人，不得侵佔、買賣或者以其他形式非法轉讓國有土地和集體所有的土地。

國有土地和集體所有的土地的使用權可以依法轉讓。

國有土地依法實行有償使用制度。

國有土地和集體所有的土地的使用權轉讓和國有土地有償使用辦法，按國家和省有關規定執行。

■ **第 6 條** 國有土地使用證、集體所有的土地所有證和非農業建設的集體所有的土地使用證，統一由縣級以上人民政府核發。

全民所有制單位、集體所有制單位和個人依法使用國有土地的，向縣級以上人民政府國土管理部門申請、登記，並領取國有土地使用證，明確其使用權。擁有集體所有的土地的單位，向縣級人民政府國土管理部門申請、登記，並領取集體所有的土地所有證，明確其所有權。

全民所有制單位、集體所有制單位和個人依法使用集體所有的土地用於非農業建設的，向縣級人民政府國土管理部門申請、登記，並領取集體所有土地使用證，明確其使用權。

使用跨越兩個以上行政區域的土地的單位，

向上一級人民政府國土管理部門申請、登記，並領取土地證書，明確其土地所有權和使用權。

本條規定的土地證書的發放，以及本實施辦法施行前辦理的有關土地證書的清理、更換辦法，由省人民政府另行規定。

■ 第 7 條　縣級以上人民政府國土管理部門應按照國家統一規定，建立地籍管理制度，會同有關部門組織本行政區域的土地調查統計，並進行土地利用的動態監測。地籍管理按省人民政府規定執行。

■ 第 8 條　縣級以上人民政府國土管理部門應會同有關部門編制土地利用總體規劃和年度土地利用計劃，經同級人民政府審核後，報上一級人民政府批准執行。

■ 第 9 條　縣級以上人民政府應按照土地利用總體規劃，因地制宜，有計劃地、合理地組織墾荒造地，擴大耕地面積。開發、利用荒山、荒地、灘塗、島礁的具體管理辦法，由省人民政府另行規定。

國家建設和鄉（鎮）、村建設必須節約使用土地，可以利用荒地的，不得佔用耕地；可以利用劣地的，不得佔用好地。

非農業建設使用耕地的單位和個人，應繳納耕地佔用稅和墾復基金。具體辦法按國家和省有關規定辦理。

■ 第 10 條　縣級人民政府應加強對本行政區域內的取砂、採石、挖土用地的統一管理。任何單位和個人需要取砂、採石、挖土的，必須依法在批准的範圍內進行。但生活自用少量採挖者除外。

■ 第 11 條　經國務院和省人民政府批准劃定的自然保護區、風景名勝、重點文物保護單位的土地，軍事設施保護區域的土地，水庫、堤防等水利設施和科學試驗的土地，以及縣級以上人民政府確定的特種農產品基地的土地，應重點保護。

■ 第 12 條　國家進行經濟、文化、國防建設以及興辦社會公共事業，需要徵用集體所有的土地或者使用國有土地的，必須按照《中華人民共和國土地管理法實施條例》規定的用地審批程序，辦理用地手續。

建設單位向縣級以上人民政府國土管理部門提出申請用地報告時，應同時提交下列附件：建設項目的批准文件；計劃部門下達的年度固定資產投資計劃或預備項目計劃；徵用、劃撥土地地形圖；設計部門繪製的項目平面佈置圖；徵用、劃撥土地的補償安置方案；環境保護等有關部門提出的書面審查意見。在城市規劃區內申請建設用地的，還應提交城市規劃部門核發的建設用地規劃許可證。

■ 第 13 條　各級人民政府應嚴格執行年度土地利用計劃，非農業使用耕地要控制在年度非農業建設使用耕地控制指標內。徵用土地或劃撥、出讓土地使用權以及農業用地改為非農業用地的審批權限：

縣級人民政府批准耕地（含水田、菜地、旱

地、園地、魚塘。下同）三畝以下，其他土地十畝以下。但市人民政府所在地的城市規劃區內土地除外。

省轄市人民政府批准耕地 50 畝以下，其他土地 100 畝以下。

廣州市、深圳市人民政府批准耕地 500 畝以下，其他土地 1,000 畝以下。

經濟特區範圍內的耕地 1,000 畝以下，其他土地 2,000 畝以下，由所在地的市人民政府批准。

經國務院批准的經濟技術開發區範圍內的耕地 100 畝以下，其他土地 200 畝以下，由所在地的市人民政府批准。

各級人民政府批准各類土地總和，每宗不得超過上述各款中"其他土地"的最高限額。

超過以上限額的，按審批權限報上一級人民政府審核、批准。

■ **第 14 條**　國家建設徵用土地，由用地單位按下列標准支付補償費：

（一）土地補償費

1. 徵用水田，按其徵用前三年平均年產值的三至六倍補償；徵用菜地、旱地、園地和魚塘，按徵用前三年的平均年產值的三至五倍補償。平均年產值按當地統計部門審定的最基層單位統計年報和經物價部門認可的單價為准。

2. 徵用已種植但尚未收益的園地，可按長勢與鄰近同類作物園地前三年平均年產值的二至四倍補償。

3. 徵用用材林地和經濟林地，按被徵林地平均年產值的五至十倍補償。用材林地平均年產值為該種林一代林產值除以一代生長周期。

4. 徵用其他土地，按不超過當地旱地前三年平均年產值50%的額度內補償。

（二）青苗補償費

屬短期作物，按一造產值補償；屬多年生作物，根據其種植期和生長期長短給予合理補償；人工林地和零星樹木按實際價值補償；非人工林地，被徵用單位自行砍伐的人工林地，或者開始協商徵地後突擊搶種的作物，不予補償。

（三）附着物補償費

國家建設用地需要拆除單位或私人的房屋設施，按照國家的有關規定給予補償，或者由建設單位按當地統一產價標準補償給原單位或個人；房屋所有者要回房屋產權的，建設單位按原有建築面積補回質量相當的房屋。

拆遷華僑、港澳同胞和台灣同胞的私人房屋，必須報市人民政府批准，並應按國家和省有關規定補償。

被徵用土地的水井、墳墓和其他附着物，按實際情況合理補償；開始協商徵地後突擊搶建的附着物，不予補償。

（四）經國家批准建設的鐵路、縣道以上公路、航道、港口、機場及其通訊設施等交通基礎設施和社會公共事業建設徵用土地的補償標準，可按上列各項補償額度內，取低限或者接近低限給予補償。具體辦法由省人民政府規定。

■ 第 15 條　國家建設徵用土地，用地單位除支付補償費外，還應支付安置補助費。

國家建設徵用林地的安置補助費，根據需要安置的人口數，按林地的土地補償費的百分之五十計算。特殊情況可適當提高安置費，但每畝林地的土地補償費和安置補助費的總和不得超過平均年產值的20倍。

徵用宅基地和未計稅的土地，不付給安置補助費。

■ 第 16 條　因國家建設徵用土地造成的多餘勞動力，由縣級以上人民政府國土管理部門組織被徵地單位、用地單位和有關單位，通過發展農副業生產和舉辦鄉（鎮）、村企業等途徑，加以安置。安置不完的，可由勞動部門安排符合條件的人員到用地單位或有安置能力的單位就業，並將相應的安置補助費轉撥給吸收勞動力的單位。

■ 第 17 條　被徵用的耕地原負擔的農業稅和糧食任務應相應減免。減免的糧食指標和供應農業戶口轉為非農業戶口的人員口糧差價，屬國家和省的建設項目由省承擔；屬市、縣（區）的建設項目，分別由市、縣（區）承擔。農業稅的減免辦法，按省有關規定執行。

因耕地被徵用造成口糧低於當地農村中等口糧水平的，不足部分，分別由建設項目所屬的省、市、縣（區）人民政府安排解決。

■ 第 18 條 國家建設經批准劃撥、使用國營農、林、牧、漁、鹽場生產用地的國有土地，視其投入情況，按徵用集體所有的土地的同類土地補償費百分之七十的額度內給予補償；青苗、附着物補償費及勞動力安置，按徵用集體所有的土地的辦法辦理。

■ 第 19 條 因搶險或軍事等特殊情況，急需使用土地的，可先行用地，並報當地人民政府，隨後辦理徵地、劃撥手續。

■ 第 20 條 農村居民、回鄉落戶的幹部、職工、復退軍人以及華僑、港澳同胞和台灣同胞建住宅使用集體所有的土地，應向鄉（鎮）、村農民集體經濟組織提出申請，經同意後，上報審批；使用原有宅基地、村內空閑地和其他土地的，由鄉（鎮）人民政府批准，並辦理用地手續；使用耕地的，經鄉（鎮）人民政府審核，報縣級人民政府批准，並由縣級人民政府國土管理部門辦理用地手續。

■ 第 21 條 鄉（鎮）、村居民興建住宅用地應當使用原有的宅基地和村內空閑地；需要使用耕地的，必須從嚴控制。每戶用地限額：

平原地區，80 平方米以下；丘陵地區，120 平方米以下；山區，150 平方米以下，但在人多地少地區和城市郊區以及鄉（鎮）非農業戶，60 平方米以下。

各市、縣（區）人民政府可在以上用地限額內結合本地實際情況，規定具體用地標準。

華僑、港澳同胞和台灣同胞興建住宅用地，參照當地標準，可在增加 20% 的額度內給予照顧；超過限額的，報縣級人民政府批准。

- 第 22 條 鄉（鎮）、村企業和公共設施、公益事業建設需要使用土地的，必須經鄉（鎮）人民政府審核，持縣級以上人民政府批准的計劃任務書或其他批准文件，向縣級人民政府國土管理部門提出用地申請，按照本實施辦法第 13 條的批准權限規定辦理，並按照本實施辦法第 14 條、第 15 條規定支付補償費。
- 第 23 條 對執行《土地管理法》和本實施辦法有顯著成績的單位和個人，由縣級以上人民政府給予獎勵。
- 第 24 條 違反《土地管理法》和本實施辦法者，除依照《土地管理法》及其實施條例的規定處理外，對下列行為者，並按如下標準處以罰款：

  未經批准、騙取批准或者超過批准用地面積非法佔用土地的單位或者個人，無權批准或者超越批准權限批准土地的單位，按其非法佔用或者非法批准的面積，每平方米罰款 15 元以下。

  國家建設用地經人民政府批准後，應動遷的單位或者個人堅持無理要求，超過批准動遷日期拒不交出土地的，除責令其限期交出土地外，罰款 500 元以下。
- 第 25 條 《土地管理法》和本實施辦法規定的行政處罰，除對農村居民非法佔地建住宅的行政處罰可由鄉（鎮）人民政府決定和執行外，其餘統一由縣級以上人民政府國土管理部門決定和執行。

被處罰的單位或者個人對處罰決定不服的，可以在接到處罰決定通知之日起 15 日內，向執罰機關的上一級機關申請復議或向人民法院起訴；期滿不申請復議，不起訴又不履行的，由作出處罰決定的機關申請人民法院強制執行，或者依法強制執行。

■ **第 26 條** 本實施辦法自 1987 年 1 月 1 日起施行。

1983 年 3 月 16 日省人民政府頒布的《廣東省村鎮建房用地管理實施辦法》和 1983 年 11 月 15 日省第六屆人民代表大會常務委員會第四次會議通過的《廣東省國家建設徵用土地實施辦法》同時廢止。

省內有關土地管理的規定、辦法，與《土地管理法》和本實施辦法有抵觸的，一律按《土地管理法》和本實施辦法執行。

14

《廣東省城市建設綜合開發公司管理條例》

（1986年）

■ 第1條　為加強對城市建設綜合開發公司的管理，根據國務院《關於改革建築業和基本建設管理體制若干問題的暫行規定》和國家計委、建設部的《城市建設綜合開發公司暫行辦法》，結合我省實際情況，特制訂本條例。

■ 第2條　本條例所稱的城市建設綜合開發公司，是指從事城市土地開發和房地產經營的公司（以下簡稱開發公司）。

■ 第3條　開發公司是具有法人資格的全民或集體企業，實行自主經營，獨立核算，自負盈虧，對國家和使用單位承擔經濟、技術責任。

■ 第4條　開發公司的宗旨是：按照城市總體規劃，對城市土地（包括新區和舊區）實行統一規劃、綜合開發、配套建設，為城市創造良好的生產和生活條件。

開發公司的經營方針是：以服務為主，努力實現經濟效益、社會效益和環境效益的統一。

■ 第5條　開發公司應通過投標中標承接開發任務，也可接受城市建設部門直接委托的開發任務。

開發公司不轄施工隊伍。

■ 第 6 條　開發公司須按規定向當地國土管理部門申請辦理徵地手續，經縣以上人民政府批准，由國土管理部門發給土地使用證後，方可進行土地開發。

■ 第 7 條　開發公司必須嚴格執行城市總體規劃和小區規劃，按照先地下、後地上的原則，搞好開發區的道路、供水、排水、煤氣、供電、通訊及綠化等基礎工程和相應的配套設施的建設。

■ 第 8 條　經過開發的土地，由當地建委組織有關部門對基礎設施、配套項目進行驗收。經驗收合格的，開發公司可有償轉讓給用地單位建設，也可直接興建住宅和其他經營性房屋，用於出售或出租。

開發公司轉讓經開發的土地，須向當地國土管理部門辦理土地使用權轉移手續，更換土地使用證書。

■ 第 9 條　省建委主管全省城市土地開發和房地產經營工作，各市（地）、縣建委主管所轄地區的城市土地開發和房地產經營工作。

■ 第 10 條　開發公司必須具備如下條件：

（一）有健全的組織管理機構、財務制度和公司管理章程。

（二）有上級主管部門正式任命的專職經理以及專職技術、經濟等管理人員。其中：

一級開發公司有十名以上相應配套的工程師，一名會計師，一名經濟師；

二級開發公司有五名以上相應配套的工程

師，一名會計師；

三級開發公司有兩名以上工程師，一名助理會計師；

四級開發公司有一名以上工程師，一名從事會計工作五年以上的會計員。

各級開發公司還應配備有與經營規模相適應的初級技術、經濟管理人員。

（三）有必要的資金。一、二、三、四級開發公司的自有流動資金分別不少於 500 萬元、200 萬元、100 萬元和 50 萬元。

（四）有固定的辦公地點。

■ **第 11 條** 開發公司根據其級別，允許承擔的每年開發建成房屋建築面積：

一級開發公司 20 萬平方米以上；

二級開發公司 10 萬至 20 萬平方米；

三級開發公司 5 萬至 10 萬平方米；

四級開發公司 1 萬至 5 萬平方米。

大城市必須成立二級以上（含二級）開發公司；中等城市必須成立三級以上（含三級）開發公司。

■ **第 12 條** 組建開發公司，須經其主管部門同意，並按下列規定審批登記：

（一）省、市（包括縣級市）、地屬單位的開發公司，向省建委提出申請（其中海南行政區、廣州、深圳、珠海市、汕頭經濟特區的開發公司，可向當地建委提出申請）；

（二）縣屬單位的開發公司，向市（地）建

委提出申請；

（三）開發公司經審查批准，並領取省建委統一印製的《技術資質證書》後，省屬單位的開發公司向省工商行政管理部門，市（地）、縣屬單位的開發公司向當地工商行政管理部門申請登記，領取營業執照；向當地稅務機關辦理稅務登記。

本條例頒布前已成立的開發公司，應在本條例頒布之日起五個月內按前款規定補辦有關手續。逾期不辦理的，由工商行政管理部門予以取締。

■ 第 13 條　開發區範圍內的構築物和建築物建設工程，由開發公司組織招標，擇優選用設計和施工單位。招標投標按《廣東省建設工程招標投標暫行辦法》執行。

■ 第 14 條　開發公司轉讓經開發的土地，按開發土地實際的費用（包括直接費、施工管理費、獨立費）加不超過百分之十的利潤之和收取土地開發費。

土地開發費應按國家有關預算定額核定，拆遷費、徵地費及各種補償費按獨立費計算。未經開發的土地不得收取開發費。

■ 第 15 條　開發公司經營商品房的售價，按開發土地實際發生的費用、房屋造價及按比例分攤的生活服務配套設施（指住宅區內的托兒所、幼兒園、居委會、公共單車房等）的造價加不超過百分之五的利潤之和計算。

商店、文化體育場所、中小學校、醫院等的建設費，不得打入商品房售價。

■ 第 16 條　開發公司所需的周轉資金，除自有資金外，不足部分可向建設銀行申請貸款，並在建設銀行開立賬戶。開發公司可根據需要採取多種合法渠道籌集資金。

■ 第 17 條　開發公司可預先轉讓土地和預售商品房屋，經與使用單位或個人簽訂合同，可收取部分預付款。

■ 第 18 條　開發公司經營商品房的售價，要接受當地建委、建設銀行和物價部門的監督檢查；收取的土地開發費，要接受上述部門和國土管理部門的監督檢查。

■ 第 19 條　開發公司的財務管理，按國家和省的有關規定執行。

■ 第 20 條　各市（地）、縣可根據本條例制定實施細則，報省建委備案。

■ 第 21 條　本條例自頒布之日起施行。

C　廣州現行法規

15

《廣州經濟技術開發區土地使用規則》

為了順利履行《廣州經濟技術開發區土地使用權有償出讓合同書》（以下簡稱《土地使用合同》），保證廣州經濟技術開發區規劃的實施，明確用地者的責任，訂立此規則。

一　地價的繳交

■ 1.《土地使用合同》經雙方簽字後，用地者必須當即以支票或現金向管委會交付　元，作為履行合同的定金。合同履行，此款抵作地價。用地者不履行合同，無權請求返還定金。

用地者當即不能交付定金的，交由公安機關處理，並由管委會土地管理部門對其處以二萬元以下的罰款。

■ 2. 給付定金後的地價餘款，用地者可選擇下列一種方式付款：

（1）一次性付清，按中標價的 90% 計收。用地者必須自簽訂合同之日起三十天內，一次過付清全部地價欠款。

（2）分期付款，最長期限五年。用地者須自合同簽訂之日起五天內向管委會繳交一筆款項，該筆款項與上述定金合計須等於地價的20%，其餘的地價欠款，須按年分期等份繳付給管委會財政局，所欠款項按每年7.92%的復息利率計息。第一期　元，於　年　月　日繳交；以此類推，最後一期的繳款日期為　年　月　日。

用地者在繳交地價欠款的年期內，可隨時向管委會財政局交清全部地價欠款，原已計收利息應相應減去。

■ 3. 用地者不按規定的時間繳交地價欠款，從滯納之日起每日按應繳地價的千分之五繳納滯納金，延期付款時間超過一年以上的，管委會有權將土地使用權收回，註銷其《土地使用證書》，土地上的建築物及設備無償歸管委會所有。

二　土地的登記發證

■ 4. 《土地使用合同》簽訂後，用地者必須按《廣州經濟技術開發區土地使用權有償轉讓辦法》的規定到管委會土地管理部門辦理土地使用權登記手續，領取《土地使用證書》，繳納土地登記費。

三、界樁定點

■ 5. 《土地使用合同》簽訂後三十天內，管委會土地管理部門會同用地者實地依圖驗明紅線所標示座標各拐點埋設的混凝土界樁。界樁定點費用由用地者支付。事後，用地者必須妥為保護，不得私自改放，界樁遭受破壞或移動時，應及時書面報告管委會土地管理部門，請求重新埋設，所需費用由用地者支付。

四、土地利用要求

■ 6. 用地者在用地紅線內興建建築物應符合下列要求：

（1）主體建築物性質規定為工業；

（2）建築密度　30–40%；

（3）建築容積率　大於 2；

（4）建築層數　8–12 層；

（5）園林綠化比率　大於 30%；

（6）室外地台標高　108.2–108.6；

（7）建築物退縮紅線　東 15M、西 10M、南 10M、北 10M；

（8）建築體型及色彩應與周圍環境相協調；

（9）主體建築物裝修水平　外裝修不低於中級、內裝修不低於中低級、臨主幹道應達較高水平；

（10）汽車出入口　在錦綉路不超過 2 個、在夏港大道可設 1 個右轉出入口；

（11）停車泊位面積　汽車泊位不小於 $800M^2$、單車泊位不小於 $400M^2$；

（12）臨主幹道不得佈置廚房、鍋爐房，配變電房和水塔；

（13）建築物的設計均應符合國家現行建築設計標準、規程的規定。

五　公益工程

■ 7. 用地者表示同意在用地紅線範圍內一並建造下列公益工程：

（1）不小於800M^2的汽車停車場；

（2）不小於400M^2的單車棚。

■ 8. 用地者表示同意管委會批准的各類管線工程可在其紅線範圍內的規劃位置建造或通過，而無須作任何賠償。

六　設計、施工圖紙、施工、完工

■ 9. 用地者必須自簽訂《土地使用合同》之日起的六個月內，向管委會基建規劃辦提交規劃設計圖紙、施工設計圖紙及施工計劃，管委會基建規劃辦應在接到圖紙和計劃之日起六十天內，作出審批。到期不批復的，視為已經批准。

■ 10. 紅線範圍內的詳細規劃、建築設計、建築用途等必須符合本規則規定的設計要點。涉及交通、管線、消防、環保、綠化等問題，還須報經有關主管部門審批，由此所發生的一切費用均由用地者負擔。

■ 11. 用地者自簽訂《土地使用合同》之日起一年內應按批准的規劃設計圖紙和施工設計圖紙動工施工。

■ 12．規模大的、特殊的、復雜的工程，其規劃圖紙、施工設計圖紙和動工施工時間按上述要求辦理報批或進行有困難的，經用地者申請，管委會可適當放寬時限。

■ 13．用地者應在領取《土地使用證》之日起 920 天內（受不可抗力影響者除外）竣工。延期竣工的，第一、第二年按全部地價的 10% 向管委會繳納延期金；延期竣工超過兩年的，管委會土地管理部門有權收回土地使用權，註銷其《土地使用證書》，土地使用權以及地上建築物無償收歸管委會所有。

■ 14．工程竣工之日起十天內，管委會基建規劃辦會同有關部門對建築物進行驗收，驗收合格的，發給《建築物合格證書》，不合格的，限期整改。領取《建築物合格證書》後，始得正式交付使用。

七　建築維修活動

■ 15．用地者在用地紅線範圍內進行建設及維修活動時，對周圍環境及設施應承擔的責任，包括；

（1）所屬建築物品或棄物（如泥土、碎石、建築垃圾等）不得侵佔或破壞紅線圖以外的土地及設施。

如需臨時佔用市政道路，應報請開發區公安部門批准。

如需臨時使用紅線以外土地，按管委會有關規定辦理。

（2）未獲有關部門批准，不得在公共用地上傾倒、儲存任何材料或進行任何工程活動。

（3）用地者必須確保土地使用範圍內的污水、污物、惡臭物或影響環境的排泄物均有可靠的排除方法，不得損害周圍的環境。

（4）在土地使用期限內，用地者對該地段內的所有市政設施，均應妥善保護，避免損失，否則，應承擔修復工程的一切費用。

■ 16. 用地者不得開闢、鏟除或挖掘毗鄰地段的土地。

■ 17. 在進行建築或維修工程之前，用地者必須摸清地段或相鄰地段公有的明渠、水道（包括水龍喉管）、電纜、電線以及其他設施位置，並向有關部門呈報處理上述設施的計劃；用地者在未獲批准之前，不得動工。其中需要改道、重新鋪設或裝設的費用，均由用地者負擔。

八　供水、供電

■ 18. 用地者所需的用水，應與開發區自來水公司簽訂供水合同。水管線路埋設平面設計圖應報管委會基建規劃辦審批，經批准後實施。

■ 19. 用地者所需的用電，應與供電部門簽訂供電合同。

■ 20. 用地者接水、接電及開設路口，所需費用均自行負責。

九　接受檢查監督

■ 21. 在土地使用期間，管委會土地管理部門有權對用地者紅線範圍內的土地使用情況進行檢查監督，用地者不得拒絕和阻撓。

■ 22. 用地者不得以任何理由佔用紅線範圍以外的土地（包括堆放物品、器材等），否則，按非法佔地處理。

■ 23. 用地者在用地範圍內，應按規定的土地用途和工程設計圖紙的要求進行建設。

■ 24. 用地者對用地範圍內的建築物，未經管委會基建規劃辦批准，不得任意拆除和改建、重建。否則，管委會基建規劃辦有權責令其恢復原狀或作拆除，拒不執行的，管委會基建規劃辦可強制執行，所需費用由用地者負責支付。

十　土地轉讓

■ 25. 地價沒有付清之前，用地者不得將土地使用權有償轉讓給其他單位或個人，違者，轉讓無效，沒收非法所得。

■ 26. 建築物必須連同土地一起轉讓，轉讓方和受讓方雙方應簽訂轉讓合同，轉讓雙方必須到管委會土地管理部門辦理土地使用權變更登記手續，並按《廣州經濟技術開發區土地使用權有償轉讓辦法》的規定交納各項費用。

■ 27. 建築物連同土地使用權轉讓後，新的用地者仍受本規則的約束。

十一　土地使用期限屆滿

■ 28. 土地使用期限屆滿，土地連同建築物分別情況，作如下處理：

（1）該幅土地的用途與當時的開發區規劃相矛盾的，土地使用權連同建築物由管委會無償收回，註銷用地者的《土地使用證》；

（2）該幅土地用途與當時開發區規劃不矛盾，但用地者無須續用的，土地使用連同建築物由管委會無償收回，註銷用地者的《土地使用證》；

（3）該幅土地用途與當時開發區規劃不矛盾，用地者需要續用的，必須在期滿前六個月向管委會土地管理部門提出續用申請，續用年期長短由用地者與管委會土地管理部門協商，用地者必須按當時的土地使用權價格如數向管委會繳交地價，並辦理續用的有關手續。

十二　遵守法律法規

■ 29. 用地者在遵守本規則的同時，必須遵守國家的有關法律以及開發區的土地管理法規，如果發生違法行為，有關部門將依法追究其法律責任。

16

《廣州經濟技術開發區土地使用權有償出讓合同書》

（1988 年）

廣州經濟技術開發區管理委員會為合同的一方（以下簡稱管委會）　　　　　　　　為合同的另一方（以下簡稱用地者）

雙方達成如下協議：

一、本合同簽訂之日起三十天內，管委會通過管委會土地管理部門將地塊編號為 GQ——BI——4 土地約為 15953 平方米（見紅線圖）一次性出讓給用地者使用。

土地使用年期五十年，從 1988 年 3 月　日至 2038 年 3 月　日止

土地用途為工業。

二、用地者願意遵守《土地使用規則》，雙方同意《土地使用規則》中的第 2 條按第　款的方式付款，第 4 條辦理用地登記的時間，由管委會土地部門另行通知用地者。

三、用地者同意以　元成交上述土地的地價。

四、本合同經雙方簽字蓋章後生效。

五、本合同正本一式兩份，管委會一份，用地者一份，合同副本四份，管委會經濟綜合處一份，管委會基建規劃辦一份，用地者兩份。

廣州經濟技術開發區管理委員會　　用地者

（蓋章）　　（蓋章）

代表：　　代表：

簽訂日期：　年　月　日

簽訂地點：廣州經濟技術開發區

附：土地投標書

廣州經濟技術開發區土地招標小組：

1. 經過實地踏勘，審閱廣州經濟技術開發區土地招標小組（以下簡稱招標小組）招標文件，我們願意遵照《土地使用規則》的要求和招標文件的有關規定，並願以　　元人民幣獲得GQ——BI——4地塊的使用權。

2. 本投標書如被採納，我們願在接到正式中標通知書後　　天內動土，並根據投標文件的規定按時按質完成全部工程和按要求合理使用土地。

3. 我們在提交本投標書的同時，提交銀行開具的資信證明或擔保書。本標書如能中標，則以提供的擔保書作為我們的履約保證書。

4. 我們同意從投標之日起 180 天內保留此標，在此期限終止前的任何時間，我們受本投標書的約束並隨時接受其內容。

5. 在正式合同簽訂及執行以前，本投標書連同由招標小組發出的其他招標文件，將作為廣州經濟技術開發區管委會和我們之間具有法律約束力的合同書。

6．我們理解招標小組並不限於接受最高價標書和可以接受其他任何投標書。

7．投標書附件：

附件一：本單位註冊證書（影印本）（正本同時交驗）

附件二：本單位現狀情況簡介

附件三：本單位過去三年的年度經營報告與財務報告

附件四：規劃設計方案

8．我們收到了招標小組發出的招標文件的修正、補充文件：

補充文件一（名稱）：

簽收人：　　　　簽收日期

補充文件二（名稱）：

簽收人：　　　　簽收日期

補充文件三（名稱）：

簽收人：　　　　簽收日期

補充文件四（名稱）：

簽收人：　　　　簽收日期

投標單位名稱（蓋章）

地址及電話

投標單位負責人姓名、職務

聯繫人姓名、職務

年　月　日

________________________________ 現狀情況簡介

（公司）

一、單位全稱 （蓋章）

地址：

註冊登記號碼：

註冊時間：

單位負責人：

電話：

二、單位（公司）組成、人員、技術力量、資金、經營情況。

三、近幾年來承包（建）工程情況：（工程）名稱、工程、造價、開工竣工時間等。

17

《廣州經濟技術開發區土地使用權轉讓》

投 標 須 知

■ 一、招標文件有：

1. 投標須知（附：招標日程安排表）
2. 土地投標書
3. 廣州經濟技術開發區（以下簡稱開發

區）土地使用權有償出讓合同書（附：土地紅線圖）

4．土地使用規則

■ 二、上述文件由開發區土地招標小組（以下簡稱招標小組）負責提供，投標單位可在正常上班時間（每周星期一至五 8 時半–16 時向招標小組索取。

■ 三、在廣東省內註冊，具有土地開發經營權的企業和廣州經濟技術開發區企業，均可參加投標。

■ 四、投標單位須向招標小組交投標保證金人民幣 5000 元，未中標者的投標保證金，在招標工作結束後給予退回。投標保證金隨投標書同時交土地招標小組。

■ 五、投標單位向招標小組遞交的投標書應包括以下內容：

1．土地投標書

2．投標單位營業證（影印本）（正本同時交驗）

3．投標單位現狀情況

4．投標單位過去三年經主管部門審核的年度經營報告與財務報告（包括有關財務報表）

5．規劃設計方案：

■ 六、投標單位必須認真全面填寫招標文件的各欄，並按招標小組指定的地點投入標箱。招標小組不接受電話和口頭的投標。如有下列情況之一者，則為廢標：

1．投標文件未密封；

2．投標文件未蓋單位印鑒或法人代表未簽署；

3．投標文件內容不全或未按規定的格式內容填寫清楚；

4．投標文件送達時間已經超過規定的投標截止日期；

5．一個投標單位對一個標有兩個或兩個以上報價。

6．投標報價低於標底價 5% 以下（不含 5%）者。

■ 七、投標單位在投標時，必須提交在廣東省內開戶銀行出具的資信證明書或擔保書。未中標的則予退回。

如果銀行擔保書的日期與投標書的有效保留期不符的，取消投票資格。

■ 八、投標單位必須了解招標小組的規定，仔細研究招標文件。如有不清楚、不理解的地方，可以在招標截止日以前用書面或口頭向招標小組詢問、澄清。招標小組將以召開咨詢會的形式給予解答。

■ 九、投標單位收到招標小組在開標前發出的招標文件修正、補充件，都必須在投標書中的空格內註明。修正、補充件如與招標文件有矛盾的，以日期在後者為準。

■ 十、投標單位在招標截止日期前，如需要修改投標內容的，可以另投修改標，原標書作廢。

■ 十一、招標小組採取公開形式開標。投標截止時間即為開標時間。招標小組將當眾宣佈土地底價和各投標單位的報價及其他主要內容。招標小組有權拒絕任何一個或全部標書，且定標不受最高標價的限制，但中標價高於標底價 10% 以上（含 10%），其超過部分減半收費。

■ 十二、招標小組根據投標單位提出的標價、規劃設計方案、竣工期以及企業資信狀況等因素，經綜合評議後，最後確定中標者，並發出中標通知書。

■ 十三、中標單位必須在接到中標通知書之日起 30 天內，持通知書及單位委託書前來簽約。中標單位拖延或拒絕簽訂合同的，招標小組有權無條件沒收投標保證金，並取消其中標資格，另定中標單位。

■ 十四、投標截止時間為北京時間 19　　年　　月　　日　　時，投標地點為廣州市黃埔新港國際海員大廈二樓管委會國土辦公室。

■ 十五、為準備投標文件而發生的一切費用由投標單位自負。

招標小組負責人（簽字）

18

《廣州市徵收城鎮土地使用費試行辦法》

■ 第 1 條　任何單位、個人使用廣州市行政區域內（含市屬各區，不含八縣）的土地（農業耕種使用的土地除外），均按本辦法的規定交納土地使用費。

■ 第 2 條　徵收土地使用費，市中心區高於一般地區，市區高於郊區，近郊區高於遠郊區，根據不同地段，全市土地劃分為七級，其收費標準是：

一級　市中心區（包括大同路、荔灣南、中、北路、流花湖、人民北路以東，環市路以南，犀牛路、農林下路，署前路，龜崗路、東山湖以西，沿江路、六二三路以北的範圍），每年每平方米 4 元。

二級　一般市區（除上述地區外，包括增步河以東，鐵路以南，天河，揚箕以西，石溪、五鳳以北和芳村地區的範圍），每年每平方米 3.5 元。

三級　市區邊沿區（除上述地區外，包括松洲崗、羅衝圍、大坦沙、大冲口以東，黃石公路以南，車陂涌、岑村、長湴以西，瀝滘、石榴崗以北的範圍），每年每平方米 3 元。

四級　近郊區（除上述地區外，包括石井、鶴洞、新滘、東圃、沙河、三元里六個區公所的範圍），每年每平方米 2.5 元。

五級　黃埔區（除經濟技術開發區外，包括紅山以西的範圍），每年每平方米 2 元。

六級　遠郊區（包括黃埔紅山以東和江村、人和、太和、竹料、羅崗五個區公所的範圍），每年每平方米 1 元。

七級　邊遠區（包括石龍、鐘落潭、九佛三個區公所的範圍），每年每平方米 0.5 元。

■ **第 3 條**　對工業、交通運輸站場、建築、商業服務、倉庫、郵電、旅遊、文化娛樂等營利性企業，農業、園林、人防、機團、軍事等系統的工商企業，按實際用地面積全額徵收土地使用費。

對營運使用能停泊 100 噸以上船隻的江河兩岸的企業單位，除按實際用地面積徵收土地使用費外，還按照不同地區、碼頭等級和不同交通條件、水深，以長度計算分三級加收岸線使用費：一級每年每米 20 元，二級每年每米 10 元，三級每年每米 5 元。

■ **第 4 條**　對牲畜飼養場、水產養殖場，企業單位的專用鐵路支線、專用道路，國家機關、團體、部隊團以上機關、科研機構等非營業性行政事業單位，按實際用地面積五折徵收土地使用費。

對住宅按實際用地面積二折徵收土地使用費。

■ 第 5 條 對公園、名勝古蹟、宗教寺廟本身使用的土地，道路、排水、橋涵的市政設施用地，軍事陣地、連隊營房、公安拘留所、勞教場、民政收容所、消防、人防設施，無收益的社會福利事業、托兒所、幼兒園、學校、醫院的教學、醫療用地、鐵路幹線、郊區公路、機場跑道、停機坪及建築物用地以外的山林，牧地等，均免收土地使用費。

■ 第 6 條 用地單位、個人的用地面積以市房管部門核定的為準，超過用地紅線的部分，按上述收費標准加四至六倍收費；徵而不用、或多徵少用的，必須將多餘土地交回市土地管理部門另行安排；如不交回，閑置土地，加一至三倍收費。經市規劃部門批准的臨時用地按以上標準加一倍收費，期滿應即撤離；逾期不撤離者，按每天每平方米一角計收佔地費。

■ 第 7 條 用地單位、個人交納土地使用費每年分兩次（上半年第一季度前交納，下半年第三季度前交納），超過規定期限的，每日罰滯納金千分之五。必要時，市政部門得停止供水、供電和使用市政設施，規劃、房管、公安、港務監督等部門不受理有關業務。瞞報、漏報、弄虛作假，逃避交納土地使用費的，加四至六倍收費。

■ 第 8 條 按現行規定徵收城市房地產稅的民用公房、私房用地，仍繼續執行收稅辦法。暫緩徵收土地使用費。

■ 第 9 條 新建工程從領取土地使用證之日起計

收，至年底不足三個月的免收當年土地使用費；超過三個月不足半年的，按半年收費；超過半年的，按全年收費。

■ **第 10 條**　任何單位、個人，不得侵佔、出租、買賣、轉讓土地。在本辦法實施前簽訂的租地協議，一律廢止，除按廣州地區清理非法佔地與違章建築辦公室的處理決定執行外，出租單位、個人應向市土地管理部門報告，承租單位、個人不得再向原出租單位、個人交納土地租金，一律向市土地管理部門交納土地使用費。違者，加四至六倍計收土地使用費。本辦法實施後，侵佔、出租、買賣、轉讓土地的，依法沒收授、受雙方非法所得。

■ **第 11 條**　任何單位和個人，不得擅自改變用地單位、用地面積和土地使用性質；如需改變，應在改變前報市土地管理部門批准，並從批准之日起，按新的用地單位、用地面積和用地性質計收土地使用費。違者，罰款處理。

■ **第 12 條**　執行本試行辦法，由市房管部門專設機構負責。收取土地使用費，委託市建設銀行辦理。土地使用費屬城建專項資金，由市城建部門掌握，用於市政設施的維護、更新，專款專用，不得挪作他用。

■ **第 13 條**　中外合營企業或外商、華僑、港澳同胞在我市單獨投資建設的企業和工程，應按國務院國發［1980］201 號文《關於中外合營企業建設用地的暫行規定》的精神，另訂收費和管理辦法。

■ 第 14 條 本辦法自 1984 年 7 月 1 日起先試行兩年，具體《實施細則》，委託廣州市城鄉建設委員會制訂。

19

《廣州市徵收中外合營企業土地使用費暫行辦法》

■ 第 1 條 根據《中華人民共和國憲法》第 10 條，《中華人民共和國中外合資經營企業法》第五條規定，結合我市情況，制訂本辦法。

■ 第 2 條 中外合資經營企業，利用外資工程等（以下簡稱合營企業）需在廣州興辦各項事業，不論新徵地還是利用原有場地，均須按本辦法的規定，繳交土地使用費。有關用地和交費事宜，由合營企業或委託中方的法人單位辦理。

土地使用費不含徵地補償、拆遷安置、道路、管線、公共設施等費用。

■ 第 3 條 需新徵土地的合營企業，按《國家建設徵用土地條例》的規定辦理申請用地手續，經市規劃部門核定用地後到市房產管理部門繳交土地使用費，領取土地使用證。

利用原有場地的合營企業，應持外經部門批准的合同和市規劃部門核定的用地文件，到市房產管理部門繳交土地使用費，領取土地使用證後方得使用土地，辦理供水、供電建築報建，開業等事宜。

合營企業對於准予使用的場地，只有使用權，沒有所有權，其使用權不得轉讓。

■ **第 4 條**　土地使用費按不同地區分級，不同行業分類，以元/年平方為單位計算。

（一）地區劃分

一級地區（市中心區）：東山、越秀、荔灣區

二級地區（一般市區）：海珠區和天河、芳村地區以及沙河、三元里區公所管轄的地區

三級地區（近郊區）：黃浦區以及石井、新滘、鶴洞、東圃區公所管轄的地區

四級地區：廣州經濟技術開發區，太和、人和、竹料、鐘落潭、江村、羅崗、石龍、九佛區公所管轄的地區

（二）行業劃分和收費標准

工業用地：一級 8–12 元，二級 6–10 元，三級 4–8 元，四級 2–6 元。

商業服務用地：一級 45–70 元，二級 35–55 元，三級 15–35 元，四級 10–25 元。

遊樂場建築用地：一級 35–50 元，二級 25–35 元，三級 12–20 元，四級 6–12 元，露天遊樂

場折半。

商品住宅用地：一級 18–25 元，二級 14–18 元，三級 10–14 元，四級 5–10 元。

露天堆放場、採石場：0.5–5 元

農牧漁業用地：0.3–3 元。

如以土地為條件參加合營的，則合營的中方應將所得利益的50%作為土地使用費繳交廣州市土地使用費徵收管理所。

根據經濟和社會發展的需要，對上述地區、行業的劃分和收費標準可作相應調整。

■ 第 5 條　新建企業在基建期間，按上述收費標準的 20%–30% 繳交土地使用費。基建期工業為二年，其他一年。

不以營利為目的的社會公益事業用地，可免交土地使用費；技術先進的產業，經市科學技術委員會審定，報市人民政府批准，可以享受優惠或特別優惠的待遇。

■ 第 6 條　中外合資經營企業的土地使用費，由合營企業繳交，如以土地折價作中外合資企業股本的，或由中方以土地、房屋為條件參加合營的，均由合營的中方負責繳交土地使用費。

■ 第 7 條　土地使用費從核發土地使用證之日起計算，本辦法公布前已施工、開業或投產的，1984 年 7 月 1 日起計算，以後逐年於 9 月底前繳交。

■ 第 8 條　在同一建築物內有多種經營的合營企業，按其企業經營大綱及設計資料，由市房地產管理部門按各種性質所佔比例審定其土地使用費收費數額。

■ 第 9 條　合營企業繳交土地使用費，須憑市房地產管理部門核發的繳款通知書，到建設銀行交納。

■ 第 10 條　逾期繳交土地使用費的，每月罰滯納金 5%。未經批准而非法佔地，或擅自擴大用地面積和改變土地使用性質，以及其他違反我國法律、法規和規定的，分別不同情節，責令其停止施工、罰繳、修改設計、退縮、撤離等處理。對情節嚴重的，應報市政府批准，責令其停業、停產。

■ 第 11 條　土地使用費屬城市建設的專項收入，由市城鄉建設委員會掌握，用於城市建設，專款專用，不得挪作他用。

■ 第 12 條　與華僑、港澳同胞合營企業或外商、華僑、港澳同胞獨營企業的用地，亦按照本辦法執行。

■ 第 13 條　本辦法自 1984 年 7 月 1 日起施行。

20

《廣州經濟技術開發區土地管理試行辦法》

（1985年4月9日）

第一章　總　則

■ 第1條　本辦法根據《中華人民共和國憲法》第10條、《中華人民共和國中外合資經營企業法》第5條及國家有關規定，並按《廣州經濟技術開發區暫行條例》的有關規定制定。

■ 第2條　凡在廣州經濟技術開發區（以下簡稱開發區）內的企業：中外合資經營企業、中外合作經營企業、客商獨立經營企業、引進外資工程以及內聯企業（以下簡稱開發區企業），不論新徵地，還是利用原有場地，均適用本辦法。本辦法沒有規定的，適用國務院、廣東省、廣州市有關城市土地管理的規定。

土地使用費不包括徵地補償，拆遷安置，道路，管線，公共設施和土地開發等費用。

■ 第3條　廣州市人民政府授權廣州經濟技術開發區管理委員會（以下簡稱開發區管委會）規劃、管理開發區內的土地，開發區的土地使用批准權屬開發區管委會。

■ 第4條　開發區內的土地使用費屬開發區維護、管理和建設的專項資金，由開發區管委會授權開發區規劃辦公室負責管理並使用。

■ 第5條 開發區的任何單位和個人使用土地必須經開發區管委會批准。任何單位和個人對於批准使用的土地，只有使用權，沒有所有權。禁止買賣和變相買賣土地，禁止出租和擅自轉讓土地。凡未經批准而直接與原土地使用單位或個人洽談用地者，所簽訂的合同，一律無效。

■ 第6條 經確定的開發區建設總體規劃，任何單位和個人都必須遵守執行。未經批准，不得隨意改變開發區範圍內土地的地形地貌，不准私自佔用土地或建設各種建築物。

第二章 土地的經營和管理

■ 第7條 由開發區管委會授權有關部門負責審核客商的投資項目和土地使用，報開發區管委會批准後，由開發區規劃辦公室核准用地面積、用地紅線和簽訂土地使用合同（合同內容應包括：用地面積、地點、用途、期限、費額、雙方的權利和義務、違反罰則等），辦理土地使用費的繳納手續，發給《土地使用證書》。

■ 第8條 土地使用單位應在開發區規劃辦公室規定的時間內提出工程建設總體設計圖紙，施工和投產計劃，及時按工程總體設計動土施工，如期完成。否則，視其情節輕重作罰款處理或吊銷《土地使用證書》。

■ 第9條 土地使用單位在完成合同、協議書所規定的工程建設項目後，須經業務主管部門驗收核定始得正式投產。未經開發區規劃辦公室批准，土地使用單位對用地範圍內的建築物，不得任意拆除、改建或重建。

■ 第 10 條 土地使用單位建設用地範圍內的建築物，應依照開發區規劃辦公室關於建築樓比率，園林綠化比率的規定進行，不得隨意擴大或縮小。

■ 第 11 條 土地使用單位在用地範圍內的一切建築，均應符合我國建築規範和防火安全要求，違反規定，而導致發生事故的，違反者應賠償損失並承擔法律責任。

第三章 土地使用年限和土地使用費的徵收

■ 第 12 條 開發區企業使用土地的年限，根據經營項目投資額和實際需要協商規定。最長使用年限為：

（一）工業、倉儲業、交通運輸業和旅遊業用地：30 年；

（二）商業、服務業用地：20 年；

（三）商品住宅、教育、科學技術、醫療衛生用地：50 年。

合資企事業所使用的土地，按照規定年限期滿後，如需繼續使用，應報業務主管部門批准，並辦理續約手續。

■ 第 13 條 土地使用費的標準，由開發區管委會按不同行業，分類確定（見附表）。簽訂土地合同時，允許對地理位置（如距離場、車站、碼頭的遠近等），投資規模，新徵地或利用原有場地等因素進行綜合考慮，可按開發區土地使用費標準在10%幅度內調整。

■ **第 14 條** 徵收土地使用費的優惠待遇：

（一）凡在本開發區引進的項目符合《廣州經濟技術開發區技術引進暫行規定》第二章第五條或第七條規定的，由有關部門審定，經開發區管委會批准，可減繳或免繳土地使用費；

（二）在開發區內興辦非盈利性的公益事業，可免繳土地使用費；

（三）新建企業在基建期間（工業基建期二年，其他一年），經開發區管委會批准，可減繳或免繳土地使用費。

■ **第 15 條** 在同一建築物內辦多種經營性質的企業，按其企業經營範圍及設計資料，由開發區規劃辦公室按比例進行核算，分別定出土地使用費額。

■ **第 16 條** 使用本開發區土地的企業，為土地使用費的交納義務人。

（一）凡是以批准使用的土地入股或以土地作為合作條件的，由中方合作者為交費義務人；

（二）以房屋出租給開發區企業的用地，房屋出租者為交費義務人；

（三）外商獨立經營企業使用開發區的土地。該企業為交費義務人；

（四）內聯企業使用開發區土地，該企業為交費義務人；

（五）也可按企業協議認可方交納。

■ 第 17 條　土地使用費的標準，開發區管委會可視具體情況的變化及時給予調整。其變動幅度每次不得超過 30%，開發區企業按年徵收土地使用費，用地超過半年而不滿一年的按半年計算，不足半年的免交土地使用費。如遇土地使用費調整時，應自調整年度起，按新的標準繳納。

土地使用費應於當年 10 月 1 日前交清，逾期者，收費單位可通過銀行直接轉賬撥收其應繳納之數額，並按日罰滯納金 0.5%（即應繳數額的0.5%）。

■ 第 18 條　開發區企業用地面積以開發區規劃辦公室審批劃撥的土地面積為準，超過批准限額部分的用地，限額騰退，並作罰款（三至五倍收費）處理，如擅自改變土地使用性質，情節嚴重者，經開發區管委會批准，可責令其停工、停業、停產。

■ 第 19 條　使用開發區土地的單位，均按下列程序辦理繳納土地使用費。

（一）新徵土地單位：應憑開發區管委會批准用地文件、徵用土地的紅線座標位置圖，由開發區規劃辦公室核實，並繳納土地使用費；

（二）臨時用地單位，憑開發區管委會批准暫時用地通知單，到開發區規劃辦公室繳費後，發給臨時用地證書。

■ 第 20 條　凡因不可抗力，遇特大自然災害或其他特殊情況造成經濟上嚴重損失，確實無法繳納土地使用費者，經開發區管委會批准，可以緩繳或減免當年土地使用費。

■ 第 21 條　納費義務人在納費問題上同開發區管理部門發生爭議時，必須先按規定納費，然後向開發區管委會申請復議。

第四章　公共設施

■ 第 22 條　用地單位在用地範圍內按合同或協議書規定應承擔建設的公共設施，須按開發區規劃要求修建。

■ 第 23 條　用地單位在用地範圍內的供電、供水、排水、下水道、煤氣通管和電訊設備，均應自行修建，與用地範圍外各種幹線的銜接部分的安裝費和出裝費由用地單位支付。

■ 第 24 條　用地單位在用地範圍內的廢渣、廢氣、廢水的排放和處理，應按中華人民共和國規定的排放標準和處理要求辦理；並接受廣州市環境保護部門的檢查和監督，按規定繳納排污費。

■ 第 25 條　本辦法自發布之日起施行。

附：廣州經濟技術開發區土地收費標準表

廣州經濟技術開發區收費標準	
類別	每年每平方米
工業、交通運輸業用地	2 元
科研用地	1 元
商業、服務業、倉儲用地	12 元
旅遊用地	9 元
商品住宅用地	8 元

D 深圳現行法規

21

《深圳經濟特區土地管理條例》

（1988年1月3日）

第一章 總 則

■ 第1條 為了加強對深圳經濟特區（以下簡稱特區）的土地管理，開發土地資源，合理利用土地，根據《中華人民共和國土地管理法》和有關法律，制定本條例。

■ 第2條 特區國有土地實行有償使用和有償轉讓制度。

國家保護用地單位和個人的土地使用、收益的權利；用地單位和個人有保護、管理和合理利用土地的義務。

■ 第3條 特區已開發和尚待開發的土地和礦藏、水流、山林等自然資源，均由深圳市人民政府（以下簡稱市政府）統一管理。

任何單位和個人需要使用土地，應向市政府申請，有償取得規定期限的土地使用權，領取國有土地使用證。

■ 第 4 條　用地單位和個人對所使用的國有土地只有使用權，不得擅自改變土地的用途。

■ 第 5 條　市政府為了公共利益的需要，可以依照法律規定對土地實行徵用。徵用集體所有土地的各項補費和安置補助費，按照《廣東省土地管理實施辦法》的規定辦理。

■ 第 6 條　深圳市國土局（以下簡稱市國土局）是市政府主管本行政區域內城鄉土地的職能機構，負責對國家、省土地管理的法律、法規和本條例的組織實施和監督。

■ 第 7 條　出讓土地使用權價款（以下簡稱用地價款）、土地使用費和土地使用權轉讓費的收入，作為特區土地開發基金，由市政府管理，用於土地開發、保護，不得挪作他用。土地開發基金的管理使用辦法，由市政府制定。

第二章　土地的有償使用

■ 第 8 條　特區國有土地使用權，由市政府壟斷經營，統一進行有償出讓。

■ 第 9 條　市政府有償出讓國有土地使用權可採取下列方式：

（一）協議；

（二）招標；

（三）公開拍賣。

土地使用權出讓的程序，辦法有市政府制定。

■ 第 10 條　受讓人必須與市國土局簽訂土地使用

合同，明確雙方的權利義務關係。

市國土局在受讓人付清用地價款後，應即發給國有土地使用證，確認其使用權。

■ **第 11 條** 通過協議、招標方式出讓的土地使用權，受讓人應按土地使用合同規定的期限、方式向市國土局給付用地價款；逾期付款的，應繳滯納金。

■ **第 12 條** 通過公開拍賣方式出讓的土地使用權，受讓人應在簽訂土地使用合同之日起 7 天內，向市國土局給付用地價 10% 的定金。

受讓人應在土地使用合同簽訂之日起 90 天內付清用地價款；逾期不付清的，市國土局可解除其土地使用合同，已付定金不予返還。

■ **第 13 條** 受讓人應按市政府規定每年向市國土局繳付土地使用費。

■ **第 14 條** 受讓人需要改變土地使用合同規定的土地用途，必須報市國土局審批。經批准後，受讓人應按市國土局的規定補足用地價款，簽訂土地使用補充合同，辦理變更登記。

■ **第 15 條** 國家機關、部隊、文化、教育、衞生、體育、科研和市政公共設施等非營利性用地的用地價款，經市政府批准可以減免。

■ **第 16 條** 出讓國有土地使用權的年限，根據生產行業和經營項目的實際需要確定，最長為 50 年。

土地使用年限屆滿，受讓人需繼續使用土地，必須辦理續用手續。

■ 第 17 條　市政府在受讓人連續兩年不按土地使用合同規定投資建設時，有權解除土地使用合同，收回土地使用權，並視其投資情況給予補償。

■ 第 18 條　本條例公布前，用地單位、個人同市政府及其授權部門簽訂的土地使用合同仍然有效。但沒有確定土地使用年限和土地使用費的，應補辦國有土地使用權登記，由市國土局根據生產行業和經營項目確定土地使用年限和土地使用費的標準。

第三章　土地使用權有償轉讓

■ 第 19 條　用地單位和個人取得的國有土地使用權可以有償轉讓、抵押。

■ 第 20 條　用地單位和個人轉讓土地使用權，須具備下列條件：

（一）領有國有土地使用證；

（二）除用地價款外，投入開發建設的資金已達投資總額的25%。

■ 第 21 條　土地使用權的轉讓方式，由當事人自行確定。

■ 第 22 條　土地使用權的轉讓，當事人應簽訂土地使用權轉讓合同，並於合同簽訂之日起 15 天內，向市國土局辦理變更登記，繳納土地使用權轉讓費，換領國有土地使用證。土地使用權轉讓費的標準，由市政府規定。

■ 第 23 條　受讓人取得土地使用權後，須履行原土地使用合同規定的義務。

■ 第 24 條　土地使用權轉讓價格明顯低於當時市場價格的，市國土局可按其轉讓價格購回土地使用權。

■ 第 25 條　用地單位和個人轉讓經減免用地價款的土地使用權，或改變土地用途，獲取經濟利益的，應向市國土局給付用地價款。

■ 第 26 條　本條例頒布前無償劃撥的土地，用地單位和個人有償轉讓土地使用權的，應向市國土局補交用地價款；但符合本條例第 15 條規定的，可以減免。

■ 第 27 條　土地使用權的抵押，當事人應簽訂抵押合同，並向市國土局登記。抵押貸款按照《深圳經濟特區抵押貸款管理規定》辦理。

抵押人不履行債務的，抵押權人有權委託拍賣機構拍賣抵押人用於抵押地土地使用權，並以拍賣所得價款優先得到償還。

■ 第 28 條　土地使用權轉讓、抵押的年限，不得超過原土地使用合同確定的有效年限。

第四章　地政管理

■ 第 29 條　市國土局負責辦理下列地政事項：

（一）調查土地資源，編制土地利用總體規劃和建立地籍管理制度；

（二）接受土地權屬、土地使用初始登記和變更登記申請，並核發證書；辦理土地使用權抵押登記；

（三）辦理國有土地使用權出讓、轉讓、規定土地使用年限、評估用地價；

（四）收取有關土地費用；

（五）依法處理土地權屬爭議；

（六）對違反土地管理法律、法規行為作出行政處罰決定；

（七）地政管理的其他事宜。

■ 第 30 條　市國土局編制的土地利用總體規劃，經市政府審核後，報省人民政府批准執行。

■ 第 31 條　市國土局應製定年度土地出讓計劃及相應的法定測量圖件，經市政府批准後執行。

■ 第 32 條　土地權屬發生爭議，由當事人協商解決，協商不成的，由市、區國土局處理；當事人對處理決定不服的，可在接到處理決定通知之日起 30 天內，向人民法院起訴。

第五章　法律責任

■ 第 33 條　違反本條例規定，採取欺詐、串通壓價等不正當手段取得土地使用權的，按《中華人民共和國土地管理法》的有關規定處理。

■ 第 34 條　用地單位和個人擅自改變土地用途的，由市國土局責令其改正，並可處以罰款。拒不改正的，市政府可收回該土地使用權，拆除或沒收其在土地上興建的建築物或其他設施。

■ 第 35 條　當事人對市國土局作出的行政處罰決定不服的，可在接到處罰決定通知之日起 30 天內，向人民法院起訴，期滿不起訴又不履行的，由市國土局申請人民法院強制執行。

■ 第 36 條 在出讓、轉讓土地使用權過程中，違反國家法律，構成犯罪的，由司法機關追究刑事責任。

第六章 附 則

■ 第 37 條 本條例的實施細則由市政府製定，報廣東省人民代表大會常務委員會和廣東省人民政府備案。

■ 第 38 條 本條例自公布之日起施行。1981 年 11 月 17 日廣東省第五屆人民代表大會常務委員會第十三次會議通過的《深圳經濟特區土地管理暫行規定》同時廢止。

22

《深圳經濟特區協議出讓土地使用權地價標準及減免土地使用價款的暫行規定》

（1988 年）

■ 第 1 條 為了維護國有土地實行有償使用和有償轉讓的制度，嚴格土地管理，根據《深圳經濟特區土地管理條例》（以下簡稱條例）制定本規定。

■ 第 2 條　凡協議出讓的土地使用權，其協議地價標準應按土地用途、土地區位，建築容積率和土地使用年限分別釐定。

■ 第 3 條　協議減免土地使用價款的範圍：

（一）高科技項目用地；

（二）公產房建設用地；

（三）國家機關、部隊、文化、教育、衞生、體育、科研和市政設施等非營利性用地；

（四）經市政府同意的其他特殊用地。

■ 第 4 條　需要協議減免土地使用價款的用地單位，須向市國土局提交下列申請文件：

（一）申請減免用地價款報告書；

（二）市屬單位應附送市計劃辦公室的建設項目批准文件；

（三）非市屬單位還應附送市政府批准在特區設立企事業單位的文件；

（四）高科技項目除以上文件外，還應附送市科學技術委員會的項目鑒定意見書。

以上文件經市國土局審查，報市政府批准後予以減免。但其他用地手續仍須按有關規定辦理。

■ 第 5 條　凡經批准減免地價的單位，其地價減免幅度，可按下列規定酌情辦理：

（一）凡條例第 15 條規定的部門，單位，其自用的工作、居住用地及非營利性設施用地，可免交地價款（徵地、補償費除外）。

（二）凡屬下列情況之一的單位，可酌情減收用地價款：

1. 經鑒定屬於高科技工業項目，減收地價的 70%；

2. 歷史用地單位（即建市以前有關企事業單位已經佔用）上報經批准補劃用地紅線的，減收地價的 50%；

3. 已實行企業管理的國家事業單位，減收地價的 20–40%；

4. 1987 年 7 月 1 日以前經批准劃給用地紅線，補辦報建手續的，減收地價的 20–40%。

■ 第 6 條　用地單位一次繳付地價確有困難的，經批准同意，可優惠分期交付用地價款。

分期交付地價的年限，一般為三年，最多不得超過五年；

分期交付地價時，應按年計息（利息率在土地使用合同書中定明）。

■ 第 7 條　本暫行規定由市國土局負責解釋。

■ 第 8 條　本規定如與《深圳經濟特區土地管理條例》的實施細則有矛盾的，按實施細則的規定辦理。

■ 第 9 條　本規定自批准之日起實行。

23

《深圳土地招標投標試行辦法》

（1987年11月14日）

第一章 總 則

■ 第1條 為提高土地的經濟、社會和環境效益，確保深圳經濟特區土地招標工作順利進行，保證投標者的正當權益，特制訂本試行辦法。

■ 第2條 特區範圍內以招標形式出讓土地使用權的，均按本試行辦法進行招標投票。

■ 第3條 土地招標由市土地管理體制改革辦公室土地招標小組負責。土地招標小組的職能：編制招標文件、確定招標對象、審查投標者的資格、主持開標、評標和定標工作、發中標通知書。

招標小組由組長一人、副組長一人、組員若干人組成。必要時，可聘請專家若干人參加。

■ 第4條 在特區內凡具有房地產經營開發權的企業或招標小組認可的經濟組織或個人均可參加土地投標。

第二章 招 標

■ 第5條 土地招標是在指定的期限內，由符合指定條件的單位或個人以書面投標形式，競投某片土地的發展權，土地招標小組擇優而取。

投標的內容由招標小組確定，可僅限於出標價，也可既出標價，又提交一個規劃設計方案。

■ 第 6 條　有明確規劃要求，已完成三通一平（即通水、通電、通道路以及平整土地）工程的土地或毛地，可用於招標。

■ 第 7 條　土地招標應有一個標底，標底由土地招標小組制訂並保存，標底在開標前要嚴格保密。

■ 第 8 條　招標方法為兩種，可以採取公開招標，即由招標小組通過報刊、廣播、電視等發出招標廣告；也可以採用邀請招標，即由招標小組向符合指定條件的單位發出招標文件。

■ 第 9 條　下列招標文件由土地招標小組印製。

1. 招標須知；
2. 土地投標書；
3. 深圳經濟特區土地使用合同書；
4. 土地使用規則。

第三章　投　標

■ 第 10 條　參加投標的單位必須認真查閱招標文件，按《招標須知》規定填寫《土地投標書》，並做好參加投標的各項準備工作。

■ 第 11 條　投標書要加蓋企業及其負責人的印鑒，密封後按規定的時間、地點投入標箱，標書一經投入，不得從標箱取出修改。投標單位在招標截止日期前，如需要修改投標內容的，可以另投修改標，原標書作廢。

■ 第 12 條 投標者用於準備投標的各項費用自行負擔。

第四章 招標程序

■ 第 13 條 土地招標按以下程序進行：

（1）編制招標文件；

（2）確定參與投標的資格範圍；

（3）發出招標公告；

（4）投標企業購買招標文件；

（5）招標小組解答投標者提出的問題；

（6）標書密封投入標箱，並按規定繳納保證金；

（7）公開開標、驗標，不符合規定的標書當眾宣布無效；

（8）評標、確定中標單位，向中標者發出中標通知書，沒有中標的，也應書面通知投標單位；

（9）中標者在接到中標通知書之日 15 天內與市政府簽訂《土地使用合同》；

（10）中標者按規定到市國土管理部門辦理土地登記手續，領取土地使用證書。

■ 第 14 條 開標由招標小組組織投標單位及社會有關人士參加，當眾啟封標書，宣布各投標單位的標價。

開標時，可聘請律師或公證員擔任監標人。

■ 第 15 條 招標文件發出到開標一般不超過三個月，開標到定標不超過 30 天。

■ 第 16 條　招標小組對每一個投標書、規劃設計方案應進行全面的、充分的評議。招標以單獨出標價形式，一般以價高者得；既出標價，又提交規劃設計方案的，以綜合評分法確定中標者，標價規劃設計方案，企業業績資信綜合評分，總評得分最高者中標，但是，經招標小組評議，認為所有的標書均沒有達到預期目的時，有權拒絕全部標書。

第五章　獎　懲

■ 第 17 條　對在土地招標工作中，作出重大貢獻的單位或個人給予獎勵。

■ 第 18 條　對揭發投標單位或招標小組成員行賄收賄，弄虛作假，徇私舞弊等非法行為有功的人員應給予獎勵。

■ 第 19 條　投標單位在參與招標活動中，通過弄虛作假、行賄等非法手段取得中標權的，投標單位在參與招標活動中，通過弄虛作假、行賄等非法手段取得中標權的，經查證屬實，土地管理體制改革辦公室有權宣布其中標權無效。對直接責任人員由市行政監察部門給予行政處分；情節嚴重構成犯罪的，由司法機關依法追究刑事責任。

■ 第 20 條　招標小組成員應秉公辦事，如在參加招標活動中收受禮物，接受賄賂、泄露秘密，與投標者串通一氣，徇私舞弊的，由市行政監察部門給予行政處分；情節嚴重，構成犯罪的，由司法機關依法追究刑事責任。

第六章 附 則

■ 第 21 條 本試行辦法由市房地產改革領導小組負責解釋。

■ 第 22 條 本試行辦法自 1987 年 11 月 14 日起施行。

24
《深圳經濟特區土地投標須知》

一、投標者在索取招標文件後必須認真閱讀本須知。

二、招標文件有：

1. 土地招標公告

2. 投標須知

3. 土地投標書

4. 深圳經濟特區土地使用合同書（包括土地使用規則及地塊宗地圖）

上述文件由深圳市國土局（以下簡稱市國土局）負責提供。

三、國內企業法人均可參加投標。

四、投標者向市國土局遞交的投標文件必須用中文書寫，且應包括以下內容：

1. 填寫好的土地投標書及招標文件其餘部分。

2．投標者有效的營業註冊登記證書（開業執照）復印件及企業法定代表人證明書。

五、投標者必須認真全面填寫投標文件各欄，並在　年　月　日時前投入標箱。標箱設在深圳市政府大院後樓市國土局。市國土局不接受電話或口頭投標。

六、如有下列情況之一者，則為廢標：

1．投標文件未密封；

2．投標文件未蓋投標者印鑒及法人代表未簽署；

3．投標文件內容不全或未按規定的格式內容填寫清楚；

4．投標文件送達時間已超過規定的投標截止日期；

5．一個投標者對一個標有兩個或兩個以上的報價。

七、投標者必須隨投標文件同時以本票、現金或支票投交保證金，金額為人民幣50萬元。

投標者若以本票投交保證金，則該本票必須是能在深圳市營業的銀行立即兑付的現匯銀行本票，且以深圳市國土局為抬頭（中文書寫）有效期至少到　年　月　日止。

未中標者的投標保證金，在招標工作結束後予以退回。中標者的保證金可抵作部分地價定金。

八、投標者未按本須知要求投標保證金，將被取消投標資格。

九、該幅地以人民幣作價，中標者用外匯支付地價時，按開標當日深圳市外匯調劑中心公布的外匯市場調劑價折算。

十、投標者必須仔細研究招標文件。如有不清楚、不理解的地方，可以在標截止日以前用書面或口頭方式向市國土局及其他可索取招標文件的地點詢問、澄清。市國土局認為需要對招標文件有任何修改、補充時，將於　年　月　日，在《深圳特區報》刊登公告。

十一、投標者收到市國土局在開標前發出招標文件的修正、補充件，都必須在投標書中的空格內注明。修正、補充文件與其他招標文件具有同等效力，如與招標文件有矛盾時，以日期在後者為準。

十二、投標者在招標截止日期前，如需要修改投標內容的，可以另投修改標，原標書即予作廢。

十三、採取公開形式開標，投標截止日期即為開標時間。市國土局將當眾宣布各投標者的報價及其他主要內容。市國土局有權拒絕任何一個或全部標書。

十四、根據投標者提出的標價及企業資格審查等因素，經綜合評議後，確定正式中標者為該幅土地使用權受讓人，並在開標後不超過三十天內發出中標通知書。

十五、開標、評標及決標均由深圳市對外經濟公證處公證。

十六、受讓人必須在接到中標通知書之日起 14 天內，持通知書前往市國土局簽訂土地使用合同。若拖延或拒絕簽訂合同，要賠償由此造成的經濟損失，即無條件沒收其投標保證金，並取消中標資格，另定受讓人。

十七、為準備投標文件而發生的一切費用由投標者自負。

附：土地使用權投標書

深圳市國土局：

1. 經過實地踏勘，並審閱貴局招標文件後，我們願意遵照《土地使用合同書》的要求和招標文件的有關規定，並願以（人民幣）____元獲得（B212–1）地塊的使用權。

2. 本投標書如被採納，我們願在接到正式中標通知書後 14 天內到市國土局，簽定土地使用合同，交付履行合同的定金。逾期給定金的，市國土局可宣布中標權無效，並沒收投標保證金。

3. 我們在提交本投標書的同時，

A. 提交____銀行開具的金額為人民幣 50 萬元的現匯本票作為投標保證金，

本票編號為：________。

B. 提交____銀行開具的金額為人民幣 50 萬元的支票作為投標保證金，

支票編號：________。

C. 提交現金數額人民幣 50 萬元作為投標保證金。

（注：三種方式只能選一種，其餘兩種請劃去）

4. 我們同意從投標之日起 60 天內保留此標，在此期限終止前的任何時間，我們受本投標書的約束並隨時接受其內容。

5. 在正式合同簽訂及執行以前，本投標書連同由貴局發出的其他招標文件，將作為貴局與我們之間具有法律約束力的合同書。

6．我們理解貴局不一定接納最高投標或任何投標書。

7．投標書附件：

附件一：　營業註冊登記證書復印件

附件二：　公司章程

附件三：　董事會成員名單（親筆簽名）

附件四：　法定代表人證明書

（注：若不能提供附件二、三的，請將其劃去）

8．我們收到了貴局發出的招標文件的修正、補充文件：

補充文件一（名稱）________

簽收人：

簽收日期

補充文件二（名稱）________

簽收人：

簽收日期

補充文件三（名稱）________

簽收人：

簽收日期

補充文件四（名稱）________

簽收人：

簽收日期

（注：無須填寫部分請劃去，不夠填者請另加附頁）

投標者蓋章＿＿＿＿＿＿＿＿＿＿＿＿＿＿＿＿

投標者（或法定代表人）簽名＿＿＿＿＿＿＿

聯繫人簽名。＿＿＿＿＿＿＿＿＿＿＿＿＿＿＿

通訊地址：＿＿＿＿＿＿＿＿＿＿＿＿＿＿＿＿

電話：＿＿＿＿＿＿＿＿＿＿＿＿＿＿＿＿＿＿

電傳：＿＿＿＿＿＿＿＿＿＿＿＿＿＿＿＿＿＿

圖文傳真：＿＿＿＿＿＿＿＿＿＿＿＿＿＿＿＿

投標書填寫日期：　　　年　　月　　日

E 珠海現行法規

25

《珠海市人民政府關於為外商投資提供更多優惠的規定》（節錄）

（1986年）

三、全面調低土地使用費。工業用地從每年平方米收5元至15元下調到0.5至1元，為了鼓勵外商投資，市政府決定：凡外商投資工業從批准用地之日起三年內免交土地使用費，免交期滿後三年內減半交納；對於具有世界先進技術水平或當年產品出口產值達到當年企業產品產值 70% 以上的企業，從批准用地之日起，五年內免交土地使用費，免交期滿後五年減半繳納，對於高科技的先進企業，給予免交土地使用費的特別優惠。所有享受減免土地使用費的企業，將由市國土局發給證明書。

四、土地開發以服務為主，使用土地只收土地使用費和土地開發費，由市國土局統一管理和徵收。土地開發費以實際開發成本計收。收費標準由市物價局審定。

26

《珠海經濟特區土地使用費調整及優惠減免辦法》

為進一步貫徹執行對外開放政策，發展國際經濟合作和技術交流，促進珠海經濟特區的土地開發利用，創造更優越的投資環境，加快特區經濟建設，現對《珠海經濟特區外資項目土地使用及優惠暫行規定》中的部分條文作如下修改：

一　土地的經營管理

在本特區投資設廠，興辦企業和其他事業，需要使用土地者，可憑珠海市人民政府（珠海經濟特區管理委員會）批准的文件和合同、協議書及投資興辦事業的有關資料填寫用地申請表，經市建設規劃委員會核定點劃線，到土地管理單位註冊，辦理土地使用費的繳納手續後，發給《土地使用證明書》。客商在土地使用範圍內，應按合同、協議書規定的用途進行建設，不得隨意改作他用。

二　土地使用年限

客商使用土地的年限，根據經營項目投資額和實際需要協商確定。最長使用年限為：

1．工業用地 30 年；

2．商業、飲食服務業用地 20 年；

3．商品住宅用地 50 年；

4．教育、科學技術、醫療衞生用地50年；

5．旅遊事業用地30年；

6．種植業、畜牧業、養殖業用地20年。

客商經營項目所使用的土地，按照規定年限期滿後，如需繼續經營，報經珠海市人民政府（特區管委會）主管部門核准，可以續約。

三　土地使用費標準

土地使用費的收費標準是根據不同地區條件，不同行業和使用年限分類確定。每年每平方米按人民幣計算，收費標準為：

1.　一類地區（含拱北、吉大和北嶺區）

工業、倉儲用地1元；

商業、旅遊建築用地10元；

露天遊樂場所用地0.2元；

飲食服務業、招待所用地9元；

商品住宅用地5元；

露天停車場（非營利性者除外）用地 0.2元；

礦產業用地0.2元；

種植業、畜牧業、養殖業用地0.2元；

臨時性用地2元。

2．二類地區（一類地區以外的特區其他地區）：

工業、倉儲用地0.8元；

商業、旅遊建築用地8元；

露天遊樂場所用地0.2元；

飲食服務業、招待所用地5元；

商品住宅用地3元；

露天停車場（非營利性者除外）用地 0.1元；

礦產業用地0.1元；

種植業、畜牧業、養殖業用地0.1元；

臨時性用地2元。

F　汕頭現行法規

27

汕頭經濟特區《關於土地使用權轉讓有關問題的規定》

（1990年7月31日）

特區各有關單位：

經特區管委會批准，根據《中華人民共和國城鎮國有土地使用權出讓和轉讓暫行條例》及《汕頭經濟特區土地管理規定》，結合我區實際情況，現就土地使用權轉讓的有關問題管理規定如下，請各單位、企業、經濟組織和個人遵照執行：

一、《條例》規定“國家劃撥給公司、企業、經濟組織和個人的國有土地使用權轉讓時，應向當地縣以上人民政府補交土地使用權出讓金”。據此，凡屬特區土地管理制度改革前國家無償劃撥（含用地者直接向村集體徵用土地）或改革後減免地價的國有土地使用權需轉讓時，轉讓方應按屆時同一區位同類用地補交土地使用權出讓金後，方准進行轉讓。

二、村民宅基地一律不得轉讓。因情況特殊，報經當地辦事處（村委會）和國土管理部門審查批准者除外。本《規定》公布前，村民分得的宅基地已經轉讓的（主要指村民出地與非本村村民合資合作建房後產權分成的），處以轉讓雙方每平方米土地罰款各10 元，並由受讓方向國土局補交市政建設費後，方准進行產權登記和申領房地產權證，轉讓後的土地所有權收歸國有。

三、一方出地、一方出資，合資合作建房並產權分成的，需事先報經國土局審查批准。出資方分得的房地產權，視同土地有償轉讓。雙方必須在工程竣工一個月內按規定到特區房地產管理局（國土局）辦理房地產確權手續，並由出地方按過戶的房地產總值的1.5% 繳納轉讓鑒證費。

汕頭經濟特區國土局
汕頭經濟特區房地產管理局
1990 年 7 月 31 日

28

《汕頭經濟特區土地管理規定》

第一章　總　則

■ **第 1 條**　為加強汕頭經濟特區（下稱特區）的土地管理，保護、開發土地資源，合理利用土地，根據《中華人民共和國憲法》、《中華人民共和國土地管理法》和有關法律、法規，制訂本規定。

■ 第 2 條　汕頭經濟特區管理委員會（下稱特區管委會）對特區範圍內的土地、水流及其自然資源，實行統一規劃和全面管理。

特區國土局是特區管委會主管特區範圍內土地的職能機構，負責對國家有關土地管理的法律、法規及本規定的組織實施和監督。

■ 第 3 條　特區建設需徵用特區範圍內的土地，由特區管委會審批，並報市人民政府備案。特區建設徵用土地，被徵地單位應服從需要，不得阻撓。徵用集體所有土地的各項補償費和人員安置，按照《廣東省土地管理實施辦法》和汕頭市人民政府的有關規定辦理。

■ 第 4 條　任何單位和個人，不得侵佔、買賣或者以其他形式非法轉讓土地，不得擅自改變土地的用途。

■ 第 5 條　特區實行國有土地使用權有償出讓和轉讓制度。特區國有土地使用權的出讓或轉讓，由特區管委會組織實施和管理。

國家保護土地使用權受讓人的合法權益，土地使用權受讓人有保護、管理和合理利用土地的義務。

■ 第 6 條　出讓土地使用權價款（下稱用地價款），土地使用稅（費）和土地使用權轉讓費的收入，作為特區土地開發基金，用於土地開發、保護和市政公共基礎建設。土地開發基金的管理使用辦法，由特區管委會制定。

第二章　地政管理

■ 第 7 條　特區國土局負責辦理下列地政事項：

（一）調查土地資源，編制土地利用總體規劃和建立地籍管理制度。

（二）接受土地權屬、土地利用初始登記和變更登記申請，並核發證書；辦理土地使用權抵押登記。

（三）會同特區規劃、房管部門辦理國有土地使用權出讓、轉讓，確定土地使用年限，評估地價。

（四）收取有關土地費用。

（五）調解土地權屬爭議。

（六）對違反土地管理法律、法規行為作出行政處罰決定。

（七）地政管理的其他事宜。

■ 第 8 條　特區國土局會同有關部門編制土地利用總體規劃，經特區管委會審核後報市人民政府批准執行。

■ 第 9 條　土地所有權或使用權爭議，由當事人協商解決，協商不成的由特區國土局調解。協商、調解無效的，由特區管委會裁決。

當事人對特區管委會的裁決不服的，可以在接到裁決通知書之日起 30 天內，向人民法院起訴。期滿不起訴的，按特區管委會的裁決執行。

第三章　土地使用權有償出讓

■ 第 10 條　國有土地使用權有償出讓採取協議、招標、公開拍賣的方式。土地使用權出讓的程序、辦法由特區管委會制定。

■ 第 11 條　國有土地使用權的出讓年限，根據生產行業和經營項目的實際需要確定，最長為 50 年。

土地使用年限屆滿，受讓人需繼續使用土地，應依法辦理續用手續。

■ 第 12 條　受讓人必須與特區管委會指定的部門簽訂土地使用權出讓合同，明確雙方的權利、義務。並在付清用地價款、領取土地使用證後，取得土地使用權。

■ 第 13 條　機關、部隊、文化、教育、衛生、體育、科研和市政公共福利設施等非營利性用地的用地價款，經特區管委會批准可以減免。

■ 第 14 條　受讓人確需改變土地使用合同規定的土地用途，應向特區國土局申報。經批准後按規定簽訂改變土地用途合同，補交用地價款，辦理變更登記。

■ 第 15 條　受讓人應按特區管委會規定逐年繳納土地使用稅。

■ 第 16 條　受讓人連續兩年不按土地使用合同規定投資時，特區管委會有權解除土地使用合同，收回土地使用權，已交的地價，不予退回。

■ 第 17 條　本規定公布前，用地單位、個人同特區管委會及其授權部門簽訂的土地使用合同仍然有效，但應補辦國有土地使用權登記手續。原沒確定土地使用年限和土地使用稅、費的，由特區管委會確定土地使用年限和土地使用稅、費標準。

第四章　土地使用權有償轉讓

■ 第 18 條　國有土地使用權受讓人可將土地使用權進行有償轉讓或抵押。轉讓方式可以是出售、贈與和交換。具體辦法由特區管委會制定。

■ 第 19 條　土地使用權轉讓，須具備下列條件：

1. 持有國有土地使用證。
2. 除用地價款外，投入土地的開發建設資金不少於投資總額的25%。

■ 第 20 條　土地使用權的轉讓，當事人應簽訂土地使用權轉讓合同，並於合同簽訂之日起 15 天內，向特區國土局辦理變更登記，繳納土地使用權轉讓費。土地使用權轉讓費的收取標準及辦法，由特區管委會規定。

■ 第 21 條　受讓人取得轉讓的土地使用權後，須履行原土地使用合同規定的義務。

■ 第 22 條　土地使用權出售價格明顯低於市價的，特區管委會可按其出售價格購回土地使用權。

贈與、交換土地使用權的，地價由特區國土局評定。

■ 第 23 條　國有土地使用權受讓人出租使用權

的，由當事人簽訂租賃合同，並在租賃合同簽訂之日起十五天內，向特區國土局辦理土地使用權租賃登記。出租人按年度向特區國土局繳納土地使用權租賃費。

■ 第 24 條 土地使用權的抵押，當事人應簽訂抵押合同，並於合同簽訂之日起 15 天內向特區國土局登記。

抵押人不履行債務的，抵押權人有權委託拍賣機構拍賣抵押人用以抵押的土地使用權，並以拍賣所得價款優先得到償還。

抵押人和抵押權人應在抵押合同履行終結之日起 15 天內，向特區國土局辦理註銷抵押登記。

■ 第 25 條 土地使用權轉讓、出租、抵押的年限，不得超過原土地使用合同確定的出讓年限。

第五章 法律責任

■ 第 26 條 違反本規定，採取欺詐、串通、壓價等非法手段取得土地使用權的，按《中華人民共和國土地管理法》和《廣東省土地管理實施辦法》的有關規定處理。

■ 第 27 條 國有土地使用權受讓人，擅自改變土地用途的，由特區國土局責令限期改正，並可處以罰款。拒不改正的，由特區管委會收回其土地使用權，拆除或沒收其新建的建築物和其他設施。

■ 第 28 條 本規定的行政處罰由特區國土局按

《中華人民共和國土地管理法》和《廣東省土地管理實施辦法》的有關規定辦理。當事人對行政處罰決定不服的，可在接到處罰通知書之日起三十天內，向人民法院起訴，期滿不起訴又不履行的，由特區國土局申請人民法院強制執行。

■ 第 29 條　在徵地或出讓、轉讓土地使用權過程中，煽動鬧事，阻礙工作人員依法執行公務的，按《中華人民共和國治安管理處罰條例》處理。構成犯罪的，由司法機關追究刑事責任。

第六章　附　則

■ 第 30 條　本規定的實施細則，由特區管委會制定，報汕頭市人民代表大會常務委員會、汕頭市人民政府備案。

■ 第 31 條　本規定由特區管委會負責解釋。

■ 第 32 條　本規定自公布之日起施行。

29

《汕頭市市轄區、汕頭經濟特區徵地補償暫行規定》

■ 第 1 條　為使我市市轄區、汕頭經濟特區（下稱特區）徵地工作順利進行，保證國家建設需要的用地，根據《中華人民共和國土地管理法》和《廣東省土地管理實施辦法》的有關規定，結合我市實際，制訂本暫行規定。

■ 第 2 條　國家建設需徵用和劃撥市轄區、特區的土地的，必須按本暫行規定的補償標準執行。用地單位應支付土地補償費、青苗補償費、附着物補償費、勞力安置補助費和糧食差價補償費。

■ 第 3 條　國家建設需徵用和劃撥市轄區、特區的土地時，被徵地單位（包括原用地單位，下同）和個人，應當服從國家需要，不得阻撓。

■ 第 4 條　市轄區、特區的土地按距離市中心的遠近分為四個類區：一類地區範圍是北至北環一路、二路，東至東環一路、二路，南至汕頭港岸線，西至西港河以內的地域（市區）；二類地區範圍是北環一路至東環二路以外，珠樟路以內的中間地帶（市區邊沿區）；三類地區範圍是珠樟路以外，外環路以內的中間地帶，鮀浦鎮、達濠區濠城的規劃區、礐石風景區、礐石街道辦事處的紅旗、紅光、紅星三個村的地域內（近郊區）；四類地區範圍是外環路以東、外環路以北至西港河以西除鮀浦鎮建成區以外的地域，以及達濠區（含特區廣澳片）除劃入三類地區以外的其他地域（遠郊區）。

■ 第 5 條　土地補償費：徵用一類地區的土地補償費每畝最高標準：耕地（包括菜地、旱園、魚塘，下同）為 2.5 萬元，其餘土地為 2 萬元；二類地區的土地補償費每畝最高標準：位於公路

（包括城鎮大馬路，下同）兩側各 100 米範圍內土地為 2.2 萬元，耕地為 2 萬元，其他地為 1.8 萬元；三類地區的土地補償費每畝最高標準：位於公路兩側各 100 米範圍內土地為 2 萬元，耕地為 1.8 萬元，其他地為 1.6 萬元；四類地區的土地補償費每畝最高標準：位於公路兩側各 100 米範圍內土地為 1.8 萬元，耕地為 1.6 萬元，其他土地為 1.4 萬元。

各類區土地如屬邊角地、荒山地、海灘地等，則應低於限價，由雙方協商解決。

■ **第 6 條** 青苗補償費：屬短期作物，按一造產值補償；屬多年生作物，根據其種植期和生長期的長短，給予合理補償。非人工林地、被徵地單位自行砍伐的人工林地、或者開始協商徵地後突擊搶種的作物，一律不予補償。

■ **第 7 條** 附着物補償費：徵用和劃撥土地需拆除單位、個人房屋或其他設施的，其補償標準按《汕頭市區城市建設、改造拆遷補償安置辦法》的規定執行；墳墓遷移補償費、水井和其他附着物的補償，由雙方協商解決，開始協商徵地後突擊搶建的附着物，不予補償。

■ **第 8 條** 勞力安置補助費：徵用耕地勞力安置，按被徵用的耕地數量除以徵地前被徵地單位平均每人佔有的耕地數量計算，但徵用每畝耕地安置的農業人口最多不超過四人。安置補助費的標準：一類地區每人最高為 10,000 元；二類地區每人最高為 9,000 元；三類地區每人最高為 8,000

元；四類地區每人最高為7,400元。

需安置人員符合招工條件的，用地單位應優先錄用，並相應核減安置補助費。

徵用宅基地和未計税的土地，不付給安置補助費。

■ 第9條 糧食差價補償費：被徵用的耕地原負擔的農業税和糧食任務，應相應減少，農業戶口轉為非農業戶口的人員口糧差價，由用地單位按市政府有關規定支付。

■ 第10條 土地補償費和安置補助費，今後由市國土局根據市統計局每年公布的物價升降指數，逐年確定相應的遞增或減少的具體數值，於翌年年初通知各有關部門執行。

■ 第11條 公路、鐵路和市政配套設施建設項目徵用土地，其土地補償費按上述補償標準減少30%。

G 海南現行法規

30

《海南土地管理辦法》

（1988年2月13日）

第一章 總 則

■ 第1條 為了科學、合理地開發、利用、保護土地資源。適應海南對外開放、發展外向型經濟的需要，根據《中華人民共和國土地管理法》，制定本實施辦法。

■ 第2條 海南範圍內的土地，包括已開發和尚待開發的耕地、林地、水面、灘塗、荒山、荒地、建設用地等土地，均由海南、市、縣人民政府統一管理。全面規劃、綜合開發、進行建設。

縣級以上人民政府根據公共利益和開發建設需要，依法對集體所有的土地實行徵用。被徵地單位應當服從，不得阻撓。

■ 第3條 海南、市、縣國土局是同級人民政府統一管理本行政區域內城鄉土地的職能部門，是國有土地產權的代表機關。

鄉（鎮）行政區域區的土地管理工作由鄉

（鎮）人民政府負責。

■ 第 4 條　實行土地有償使用制度。土地使用權可以有償出讓、轉讓和抵押。允許外國和港澳台公司、企業或者個人（以下統稱境外客商）參加土地開發、經營、承包。對已用的國有土地徵收土地使用費，政府有計劃地開放土地市場。

第二章　土地的權屬管理

■ 第 5 條　實行土地全民所有制和集體所有制。海南土地除法律規定屬於集體所有以外，屬於國家所有。

■ 第 6 條　依法使用國有土地的單位和個人，對其所使用的土地只有使用權，沒有所有權。未經縣以上人民政府批准，任何單位和個人不得擅自改變土地使用權和土地用途。

■ 第 7 條　全民所有制單位，集體所有制單位和個人依法使用國有土地的，向縣級以上人民政府國土局申請、登記，並領取國有土地使用證，明確其使用權。

擁有集體所有的土地的單位，向市、縣人民政府國土局申請、登記，並領取集體所有的土地所有證，明確其所有權。

全民所有制單位、集體所有制單位和個人依法使用集體所有的土地用於非農業建設的，向市、縣人民政府國土局申請、登記，並領取集體所有的土地使用證，明確其使用權。

使用跨越兩個以上行政區域的土地的單位，

向上一級人民政府國土局申請、登記，並領取土地使用證，明確其土地所有權或使用權。

未經劃撥使用的國有土地，由縣級以上人民政府國土局登記造冊，負責統一管理。

■ 第 8 條　因土地使用權有償出讓、轉讓而改變土地權屬和因轉讓地上附着物涉及土地使用權轉移的，必須辦理土地權屬變更登記手續，更換或者更改土地證書。

■ 第 9 條　縣級以上人民政府國土局會同有關部門加強土地調查、統計等地籍管理工作。土地所有者和使用者有義務出示、提供土地調查、統計所需要的文件和資料，不得拒報、虛報或者偽造、篡改。

■ 第 10 條　土地所有權或使用權發生爭議，應由當事人協商解決，解決後報國土局備案。協商不成的，屬於單位之間的權屬爭議，由縣級以上人民政府國土局處理；屬於縣（市）際間的土地權屬爭議，由海南國土局處理；屬於個人之間或者個人與單位之間的權屬爭議，由鄉級人民政府或者市、縣國土局處理。

當事人對縣級以上人民政府國土局或者鄉級人民政府的處理決定不服的，在接到處理決定通知之日起三十天內，依法向人民法院起訴。逾期不起訴的，處理決定發生法律效力。

在土地權屬爭議解決之前，任何一方不得改變土地現狀，不得破壞地上附着物。

第三章　土地的利用和保護

■ 第 11 條　海南、市、縣人民政府負責編制各自行政區域的土地利用總體規劃，對全省土地的開發、利用、保護、整治進行統籌安排和綜合平衡。土地利用總體規劃經同級人民代表大會審議通過，報上一級人民政府批准執行。

城市和村鎮土地利用總體規劃，結合城市和村鎮建設總體規劃進行。

■ 第 12 條　海南、市、縣國土局應根據土地利用總體規劃和開發建設進度，會同有關部門編制年度、中期用地計劃和土地開發計劃，對土地利用實行計劃管理。

■ 第 13 條　各類自然保護區、高產農田保護區、熱帶作物保護區以及其他名優特產品保護區的土地，不得作為建設用地。因特殊需要必須徵用時，須報經海南人民政府批准。

■ 第 14 條　風景名勝區和文物保護區應規定保護範圍，編制保護發展規劃，加強土地管理，保證旅遊資源的合理開發利用。

■ 第 15 條　各項建設必須節約使用土地，可以利用荒地的，不得佔用耕地；可以利用劣地的，不得佔用好地。

人民政府鼓勵單位、集體和個人在統一規劃和計劃的指導下，對荒山、荒地、灘塗和閑散廢棄地進行開發整治利用。

■ 第 16 條　從事開礦、採石、挖砂、取土等經營活動需要使用土地的單位和個人，必須向縣級以上人民政府國土局申請，經批准後方可使用土地，開礦、採石、挖砂、取土後能夠復墾的土地，用地單位或個人必須負責復墾，市、縣國土局對復墾的土地進行驗收，對無力復墾的，用地單位或個人應當支付復墾費，由市、縣國土局組織復墾。

第四章　土地的經營管理

■ **第 17 條**　海南的土地實行有償使用制度，系指對土地使用權實行有限期的有償出讓、轉讓和人民政府向國有土地使用者徵收土地增值稅，土地使用費。

集體所有土地只有不改變使用性質才能實行有償出讓，具體辦法另行規定。

■ **第 18 條**　市、縣人民政府授權國土局主管本市、縣的土地使用權有償出讓、有償轉讓事務，成立相應的土地交易、評估、仲裁、諮詢等服務機構。

土地使用權的有償出讓和轉讓均在土地交易所進行。

■ **第 19 條**　實行使用權有償出讓的國有土地，包括建設用地、農業用地、礦山、水面、灘塗等。

地下各類自然資源、礦產、文物等埋藏物、隱藏物不在出讓範圍內。

■ **第 20 條**　境外客商以及國內機關團體、企事業單位和個人均可以通過有償出讓和轉讓獲取土地使用權。

■ 第 21 條　土地使用權有償出讓採取以下方式：

一、協議出讓；

二、公開招標；

三、公開拍讓。

■ 第 22 條　國土局根據土地的不同用途、不同位置，規定不同的出讓年限，土地使用權的出讓年限一般不超過七十年。

使用期滿，土地使用權和地面附着建築物由當地政府無償收回。需要拆除的附着物，由受讓者拆除或交納拆除費；需要繼續使用土地的，必須辦理續用手續，同時補交續用期地價；使用期未滿而因公共利益需要，政府可提前收回土地，給予用地者經濟補償，或出讓其他土地交換。

■ 第 23 條　地價款應按出讓合同中規定的幣種支付。

收取的地價款，市、縣國土局可提留 3%（1% 上交海南國土局，2% 留給本市、縣國土局）用於土地管理。其餘的交市、縣財政，其中 30% 上交海南財政。

■ 第 24 條　通過政府有償出讓獲取土地使用權的用地者，在符合有關規定的條件下，可以轉讓土地使用權或向中外銀行及其他金融機構抵押貸款，但是只能轉讓或抵押規定使用年限內的餘期使用權。

土地使用權的轉讓包括贈與、出售、交換及合法繼承，轉讓的方式可由當事人自行確定。

土地在出讓和轉讓時須經公證機關公證。

■ 第 25 條　在本規定頒布之前，已被機關團體，企事業單位、部隊和個人佔用的國有土地，也要實行有償、有限期使用制度，即由國土局重新確定使用年限和向政府交納土地使用費。具體辦法另行規定。

上述用地單位和個人如有償轉讓土地使用權，必須向市、縣國土局申報，依法辦理轉讓手續，其轉讓所得的地價款，50% 歸原單位或個人，50%歸市、縣財政用於基礎設施建設。

嚴禁私自轉讓用地、私自利用土地與他方合作建房、開辦企業，嚴禁利用土地從事非法經營活動。

海南、市、縣人民政府按本條第二十三條規定收取的地價款應用於市政建設或當地的基礎設施建設，不准挪作他用。

■ 第 26 條　出讓和轉讓土地使用權，土地受讓者須到當地國土局辦理登記或變更登記領取土地使用證。受理抵押的銀行或金融機構，在辦理抵押時應向國土局履行登記。未登記的出讓、轉讓和抵押行為均屬非法行為，不受法律保護。

■ 第 27 條　受讓者取得土地使用權後應交納契稅。

有償出讓和轉讓的土地在使用和轉讓中產生增值，用地者和轉讓者應交納土地增值稅。

稅收的辦法另行規定。

■ 第 28 條　海南、市、縣人民政府分別建立土地開發建設基金。

土地開發建設基金包括土地使用權有償出讓和轉讓中政府收取的地價款、土地增值税和土地使用費。

第五章 建設用地管理

■ 第 29 條 建設用地包括國家建設用地、城鎮集體企業建設用地、外商投資企業用地、鄉（鎮）村集體建設用地和城鄉居民個人建房用地。

■ 第 30 條 除鄉（鎮）村集體建設用地和農村個人建房用地外，其他建設用地一律實行土地使用權有償出讓和轉讓。土地有償出讓需要佔用集體所有土地的，需由政府按照用地計劃和土地開發計劃統一徵用。

凡經政府批准徵用的土地，在完成徵地手續後，即屬於國家所有。

■ 第 31 條 徵用土地的審批權限：

縣級人民政府（含通什市）批准耕地（含水田、菜地、旱地、園地、魚塘。下同）三畝以下，其他土地十畝以下。

海口市、三亞市人民政府批准耕地十五畝以下，其他土地三十畝以下。

超過以上限額的，按規定的審批程序報海南人民政府批准。

■ 第 32 條 徵用集體所有土地，由國土局代表政府與被徵地單位簽訂徵用土地協議，按規定支付土地補償費、育苗補償費、附着物補償費和安置補助費。

一、土地補償費

（一）徵用水田，按徵用前三年平均年產值的六倍補償；徵用菜地、旱地、園地和魚塘，按徵用前三年平均年產值的五倍補償。

（二）徵用已種植但尚未收益的園地，可按鄰近同類作無園地前三年平均年產值的三至四倍補償。

（三）徵用用材林地和經濟林地，按被徵林地平均年產值的五至十倍補償。

（四）徵用其他土地，按不超過當地旱地前三年平均年產值50%的額度補償。

二、青苗補償費

屬短期作物，按一造產值補償；屬當年生作物，根據其種植期和生長期長短給予合理補償；人工林地和零星樹木按實際價值補償；非人工林地，被徵用單位自行砍伐的人工林地；或者開始協商徵地後突擊搶種的作物，不予補償。

三、附着物補償費

拆除單位或私人的房屋設施，由政府按當地統一產價標準補償。房屋所有者要回房產的，按原有建築面積補回面積相當的房屋，對拆除華僑、港澳台胞的私人房屋，必須報縣級以上人民政府批准。

水井、墳墓和其他附着物，按實際情況合理補償，開始協商徵地後突擊搶建的附着物，不予補償。

四、安置補助費

徵用耕地的安置補助費，依照《土地管理法》第 28 條的標準計算，徵用林地的安置補助費，按林地的土地補償費的50%計算。

徵用宅基地和未計稅的土地，不付給安置補助費。

■ **第 33 條**　徵用土地的各項補償費和安置補助費，除屬於個人的附着物和青苗的補助費付給所有人外，均由被徵地單位用於發展生產，不得挪作他用，任何單位和個人不得佔用。

因土地徵用造成的多餘勞動力應通過發展鄉（鎮）村企業等途徑，加以安置；安置不完的，可由勞動部門安排符合招工條件的人員到用地單位或有安置能力的單位就業，並將相應的安置補助費轉撥給吸收勞動力的單位。

■ **第 34 條**　被徵用的耕地原負擔的農業稅和糧食任務，應相應減免，按有關規定應繳納的耕地佔用稅、墾復基金和城郊新菜地開發建設基金，在土地使用權有償出讓給用地單位時應計入地價。

■ **第 35 條**　市、縣人民政府根據城鎮建設總體規劃和土地開發計劃，對徵用的土地統一規劃、統一開發。

實行競爭開發政策，由國土局對需開發的用地組織招標。經國土局諮詢審查，有一定資金和技術力量的，在工商行政管理部門註冊登記的國內外開發公司，均可以參加投標。中標者由國土局核發用地許可證。

國土局要對土地開發實行監督，檢查和處理違反出讓協議和有關規定的行為。

■ 第 36 條 開發公司不得有償轉讓未開發的土地。

使用已開發的土地或購買開發建成的商品房的單位和個人，均應按照本規定第二章的有關條款，到國土局辦理土地使用權變更登記，領取土地使用證。

■ 第 37 條 鄉（鎮）村建設需要使用集體所有土地的，須持縣級以上人民政府批准的計劃任務書或其他批准文件，向縣級以上人民政府國土局提出用地申請，按照本規定第 31 條的審批權限辦理，並按第32條的規定支付補償費。

■ 第 38 條 鄉（鎮）村公共設施、公共事業建設需要使用集體所有土地的，經鄉級人民政府審批；使用耕地的，按第 31 條規定的審批權限報上一級人民政府審批。

■ 第 39 條 農村居民、回鄉落戶的職工、軍人以及華僑、港澳台同胞申請在農村建住宅用地，需按下列規定辦理：

一、使用原有宅基地，由鄉級人民政府批准並辦理用地手續。

二、使用耕地和村內空閑地的，經鄉級人民政府審核，報縣級人民政府批准，由縣級國土局辦理用地手續。

■ 第 40 條 城鄉居民個人建住宅的，須嚴格控制每戶佔地面積，各市、縣人民政府可在下列限額內結合本地實際情況規定具體標準：

平原地區，60 平方米以下；丘陵地區，120 平方米以下；山區，150 平方米以下；人多地少地區和城鎮郊區，50平方米以下。

■ **第 41 條**　個體工商戶，農村承包經營戶、個人合伙從事非農業生產、經營活動，應當充分利用原有宅基地，確需另外使用土地的，由本人持有關部門證明，提出申請，經鄉級人民政府審核，按照第 31 條規定的審批權限，由市、縣人民政府批准。

■ **第 42 條**　需要臨時使用國有土地或者集體所有土地的單位和個人，必須向縣級以上人民政府國土局提出臨時用地數量和期限的申請，經縣級以上人民政府批准，由國土局核發臨時用地許可證。在臨時使用的土地上，不得修建永久性建築物或者擅自改變土地用途，臨時使用期滿必須恢復土地原貌，及時歸還，不得轉讓。

臨時使用土地需要補償的，參照第 31 條規定辦理。

■ **第 43 條**　由政府有償出讓或原經批准使用的土地，閑置兩年未用的，報經原批准機關收回土地使用權，另行統一安排使用。

第六章　法律責任

■ **第 44 條**　在處理土地權屬爭議的過程中，凡採取非法手段毀壞地上經濟作物和地上附着物的，要賠償損失。對情節惡劣造成財產重大損失者和挑起衝突的直接責任者，要依法追究刑事責任。

■ 第 45 條 對阻撓國家徵用土地，煽動羣眾鬧事、影響國家建設構成犯罪的，要依法追究刑事責任。

■ 第 46 條 批准徵地後，被徵地單位如無正當理由拒不接納補償費、安置費的，其費用由市、縣國土局無息代管。超過一年仍不領取的，按無主款上繳市、縣財政局作為地方財政收入。被徵地單位如不服，可在接到徵地批准書之日起三十天內向人民法院起訴。逾期不起訴的，由市、縣國土局申請人民法院強制執行。

■ 第 47 條 未經批准或採取欺騙手段騙取批准，非法佔用土地的，責令退還非法佔用的土地，限期拆除或沒收地上附着物，並處以一千元以上，二萬元以下的罰款，對非法佔地單位的主管人員由其所在單位或者上級機關給予行政處分。

超過批准用地數量多佔的土地按非法佔用土地論處。

■ 第 48 條 未經縣級以上人民政府批准，擅自改變國有土地用途的，責令限期改正，並處一萬元以下罰款。對逾期不改者，經縣級以上人民政府批准，收回其土地使用權。

■ 第 49 條 凡違反規定進行的國有土地使用權轉讓，抵押等活動，均屬無效，沒收非法所得以至由政府收回其土地使用權。

集體經濟組織非法轉讓集體土地的，沒收其非法所得。非法轉讓的土地如進行非農業建設的，由縣級以上人民政府收歸國有。

開發單位未經批准有償轉讓未開發的土地，屬非法倒賣土地，除沒收其所得地價款外，對主管人員由其所在單位或者上級機關給予行政處分。

■ 第 50 條　縣級以上人民政府國土局工作人員在執行土地管理公務時，違犯法律、法規，由所在單位或上級機關給予行政處分；構成犯罪的，由司法機關依法追究刑事責任。

■ 第 51 條　阻撓、刁難國土管理人員執行土地管理公務的，提請公安機關按照《治安管理處罰條例》，以拒絕、阻礙國家工作人員依法執行職務論處。

■ 第 52 條　本規定所規定的行政處罰，由縣級以上人民政府國土局決定，當事人對行政處罰決定不服的，可以按法定期限向人民法院起訴；期滿不起訴又不履行的，由國土局申請人民法院強制執行。

第七章　附　則

■ 第 53 條　海南國土局根據本規定制定土地使用權有償出讓，轉讓辦法和其他土地管理的具體規定、辦法。

■ 第 54 條　本規定由海南國土局負責解釋。

■ 第 55 條　本規定自頒布之日起施行。過去行政區有關土地管理的規定、辦法、與本規定抵觸的，按本規定執行。

31

《海口市土地使用權有償出讓轉讓規定》

（1988年2月14日）

第一章 總 則

■ 第1條 為了加強土地管理，改革土地使用制度，合理地保護、開發、利用土地資源，促進我市對外開放和經濟建設，特制定本規定。

■ 第2條 海口市國有土地使用權實行有償出讓和轉讓制度（以下簡稱出讓和轉讓）。

■ 第3條 海口市國土規劃管理局（以下簡稱市國土規劃局）代表市政府辦理本市國有土地使用權有償出讓和轉讓的各項事務，並對地產市場實行統一管理。

■ 第4條 非經市政府批准徵用的集體所有土地不得出讓和轉讓。

■ 第5條 地下各類自然資源、埋藏物、隱藏物屬於國家所有，不在土地使用權有償出讓和轉讓的範圍內。

■ 第6條 土地使用權有償出讓和轉讓的一切活動，應遵守中華人民共和國的法律、法規和海南、海口市的有關規定，服從有關管理機關的監督。

■ 第7條 土地使用權有償出讓和轉讓的納稅事

宜，應按國家有關規定辦理。

■ 第 8 條　受讓人不得擅自改變土地的用途。如確需要改變原劃定的土地用途和規劃建築要求的，必須事先向市國土規劃局提出申請，經批准的，應補足地價款，重新簽定合同或補充合同，並辦理登記。

■ 第 9 條　土地使用權出讓期限屆滿，受讓人可以申請續用，由市國土規劃局報上級政府批准後辦理有關手續。

續期合同視為重新簽定的出讓合同。

第二章　土地使用權出讓

■ 第 10 條　土地使用權出讓，是指市國土規劃局將市政府確定的國有土地的使用權定期有償出讓給受讓人依法經營使用的經濟活動。

■ 第 11 條　土地使用權的出讓期限一般不超過七十年。具體出讓期限由市國土規劃局和受讓人議定。

■ 第 12 條　土地使用權出讓可採取協議、招標、拍賣等形式。

■ 第 13 條　市國土規劃局應向受讓人提供有關資料、規定。

■ 第 14 條　市國土規劃局與受讓人簽定的土地使用權出讓合同應經市公證處公證。

■ 第 15 條　出讓合同簽定後三十天內，受讓方應交付相當於地價10%的定金，剩餘地價款的付款日期由雙方議定。

■ 第 16 條　非營利性用地的地價款，經市政府批准後可以減免。

■ 第 17 條　受讓人連續兩年不按原合同規定對受讓土地進行開發經營的，市國土規劃局有權對其處以罰款，直至無償收回其土地使用權。

第三章　土地使用權轉讓和抵押

■ 第 18 條　土地使用權轉讓是指將出讓後的土地使用權再移轉的行為，包括贈與、變賣、互易、繼承等。

■ 第 19 條　土地使用權的轉讓形式，參照本規定第 12 條。

■ 第 20 條　未完成的地上建築物或其他附着物，其土地使用權不得轉讓。

■ 第 21 條　土地使用權轉讓時，出讓合同中規定的權利義務一起移轉。

■ 第 22 條　土地使用權轉讓時，其地上的建築物，其他附着物隨之移轉，因土地使用權轉讓，涉及地上建築物、其他附着物移轉的，應按規定向有關產權管理部門辦理過戶登記手續。

地上建築物、其他附着物移轉時，其使用範圍內的土地使用權同時轉讓。

同一建築物共有人，共同享有該建築物使用範圍的土地使用權。共有建築物分割轉讓時，其相應土地的使用權同時轉讓。

擁有土地使用權的法人的全部財產轉讓時，其使用範圍內的土地使用權同時轉讓。

■ 第 23 條　繼承土地使用權必須持有關公證、認證文件或已生效的法院調解書，判決書到市國土規劃局辦理手續。

■ 第 24 條　本規定施行前已取得國有土地使用權的法人和自然人（包括部隊、農墾、機關和企事業單位），其土地使用權轉讓需向市國土規劃局申報，經市政府批准，由市國土規劃局統一辦理轉讓手續。土地使用權轉讓所得土地地價款的 50% 歸原用地人所有，其餘歸市財政用於市政建設。

■ 第 25 條　土地使用權轉讓價格明顯低於當時市場價格的，市國土規劃局有權按其轉讓價格收買。

■ 第 26 條　土地使用權及其地上建築物、其他附着物可以抵押。

地上建築物、其他附着物抵押時，其使用範圍內的土地使用權同時抵押。

■ 第 27 條　土地使用權抵押，當事人應簽訂抵押合同，並向市國土規劃局登記。

■ 第 28 條　債務不能履行，抵押權人有權拍賣抵押人用以抵押的土地使用權。拍賣所得價款優先抵償債務。

轉讓、拍賣土地使用權增值款的 20% 歸市財政，用於市政建設。

第四章　土地使用權終止

■ 第 29 條　土地使用權因期限屆滿，收回及土地減失等原因而終止。

■ 第 30 條 土地使用權期限屆滿，其地上建築物，其他附着物無償歸市政府。出讓合同規定必須拆除的地上建築物，其他附着物，受讓人應按時拆除或交納拆除費。

■ 第 31 條 土地使用權延續期間。市政府因社會公共利益需要，可依法將土地使用權收回，市政府提前六個月公告確定收回土地使用權的有關事項，並通知受讓人，同時給予受讓人合理補償。補償金額由市國土規劃局代表市政府與受讓人協商確定。對補償金額有爭議的，爭議雙方可依法向人民法院起訴。

第五章 附 則

■ 第 32 條 用地單位和個人擅自改變土地用途的，由市國土規劃局責令其改正，並處以罰款，拒不改正的，市政府有權無償收回其土地使用權，拆除或沒收其地上的建築物和其他附着物。

■ 第 33 條 有關土地使用權有償出讓和轉讓的經濟糾紛，爭議雙方可以申請中國仲裁機構或其他仲裁機構仲裁，也可以向人民法院起訴。

■ 第 34 條 當事人對市國土規劃局做出的行政處罰決定不服的，可在接到處罰決定通知之日起三十日內，向人民法院起訴，期滿不起訴的，由市國土規劃局申請市人民法院強制執行。

■ 第 35 條 違反本規定，非法買賣、出讓和轉讓土地使用權的，其土地使用權、地上建築物、附着物及其所得收入均由市國土規劃局依法給予沒收。

在出讓和轉讓土地使用權過程中，違反國家法律，構成犯罪的、由司法機關追究刑事責任。

■ 第 36 條　本規定由市國土規劃局負責解釋。

■ 第 37 條　本規定自發布之日起施行。

H　上海、天津現行法規

32

《上海市土地使用權有償轉讓辦法》

（1987年11月29日）

第一章　總　則

■ 第1條　為了推進全面改革和對外開放，改革土地使用制度，試行土地使用權有償轉讓，促進上海經濟的發展，根據國家的有關規定，特制定本辦法。

■ 第2條　本辦法所稱的下列用語的含義是：

（一）土地使用權有償轉讓是通過土地使用權有償出讓和土地使用權轉讓進行房地產經營的經濟活動。

（二）土地使用權有償出讓（以下簡稱出讓）是指上海市人民政府（以下簡稱市政府）將國家所有的土地，以指定的地塊、年限、用途和其他條件，供土地使用權受讓人開發經營，由土地使用權受讓人支付土地使用權出讓金和使用金。

（三）土地使用權轉讓（以下簡稱轉讓）是

指土地使用權出讓後，土地使用權受讓人將土地使用權再移轉的行為。

（四）土地使用權出讓金（以下簡稱出讓金）是指土地使用權受讓人為獲得土地使用權而支付給政府的金額。

（五）土地使用金是指土地使用權受讓人因使用土地而按年份支付給政府的金額。

（六）土地使用權受讓人（以下簡稱受讓人）是指因土地使用權的出讓、轉讓或繼承而享有土地使用權的企業、其他經濟組織或個人。

■ 第 3 條　土地在使用權有償轉讓期間，所有權仍屬於中華人民共和國。

地下的各類自然資源、礦產以及埋藏物、隱藏物等，不在土地使用權有償轉讓範圍內。

■ 第 4 條　與中華人民共和國沒有建立外交關係或沒有在中華人民共和國設立商務代表處的國家或地區的企業、其他經濟組織或個人，不得成為受讓人。

■ 第 5 條　受讓人的合法權益受法律保護。

土地使用權有償轉讓中的一切活動，應遵守中華人民共和國的法律、法規和上海市的有關規定。

■ 第 6 條　上海市土地管理局（以下簡稱市土地局）主管本市的土地使用權有償轉讓事務。

土地使用權出讓合同（以下簡稱出讓合同）由市土地局與受讓人簽訂。

■ 第 7 條　上海市房地產登記處（以下簡稱市登

記處）負責辦理土地使用權有償轉讓中各類登記事務。登記文件可公開查閱。

■ 第 8 條　出讓的最高年限，由市土地局在下列範圍內核定；

（一）娛樂用地 20 年

（二）工業用地 40 年

（三）公寓、住宅用地 50 年

（四）旅館、商業、辦公樓用地 50 年

（五）科技、教育、文化、衞生用地 50 年

（六）綜合或其他用地 50 年

需要超過上述年限的，由市土地局報市政府批准。

■ 第 9 條　出讓期滿，除出讓合同另有規定或城市規劃不允許外，受讓人可以申請續期。續期的最高年限由市土地局根據本辦法第八條予以核定。

土地使用權需續期的，應另訂出讓金和重簽合同。

■ 第 10 條　除出讓合同另有規定外，受讓人可以將土地使用權轉讓或抵押。但違反本辦法的轉讓和抵押無效。

土地使用權可以繼承。

■ 第 11 條　受讓人是外商投資企業的，可以根據有關規定享受優惠待遇，並不再按照《上海市中外合資經營企業土地使用管理辦法》繳納土地使用費。但不依照本辦法獲得土地使用權的外商投資企業，仍應按照《上海市中外合資經營企業土

地使用管理辦法》繳納土地使用費。

■ 第 12 條 在取得土地使用權的地塊上進行的各項經營活動，應按規定由項目經營人向上海市各有關主管部門辦理申請、審批、工商登記和納稅登記等手續。

第二章 土地使用權有償出讓

■ 第 13 條 出讓的地塊和條件，由市土地局會同上海市城市規劃建築管理局（以下簡稱市規劃局）、上海市房產管理局（以下簡稱市房產局）共同擬訂，報經市政府批准後實施。

■ 第 14 條 市土地局可以採取雙方協議、邀請投標等方式出讓土地使用權。

■ 第 15 條 市土地局應向有意受讓土地使用權人提供下列資料和有關規定：

（一）土地的坐落、四周範圍、面積及地形圖。

（二）土地的規劃用途、建設項目的完成年限、必須投入的最低建築費用和發展面積的下限。

（三）建築容積率、密度和淨空限制等各項規劃要求。

（四）環境保護、園林綠化、衛生防疫、交通和消防等要求。

（五）市政公用設施現狀和建設計劃或建設要求。

（六）地塊的地面現狀。

（七）出讓的形式和年限。

（八）投標應具備的資格。

（九）投標地點、截止日期及招標程序、要求、規定和決標標准等。

（十）投標時需繳納的保證金額。

（十一）出讓金的付款方式和要求，受讓人的經濟責任等規定。

（十二）有關出讓、轉讓等方面的具體規定和辦法。

（十三）出讓合同標准格式。

（十四）建築物出售及管理的有關規定。

（十五）其他

■ 第 16 條　協議出讓的程序是：

（一）市土地局向有意受讓土地使用權人提供出讓地塊的必要資料和有關規定。

（二）有意受讓土地使用權人在得到資料後，應在規定時間內向市土地局提交土地開發建設方案和包含出讓金、付款方式等在內的文件。

（三）市土地局在接到按第二項規定提交的文件後，應在三十天內給予回復。

（四）經過協商取得協議後，市土地局與受讓人簽訂出讓合同，並由受讓人支付定金。

（五）受讓人按合同規定支付出讓金，向市土地局領取土地使用證，並在規定的時間內向市登記處辦理土地使用權登記。

■ 第 17 條　邀請投標的程序是：

（一）市土地局根據出讓地塊的具體要求，

向邀請投標對象發出投標邀請書、招標文件及具體資料。

（二）應邀的投標者在規定的投標日期和時間內，向指定的地點、單位提交保證金（不計息），並將標書密封後投入指定的標箱。

（三）市土地局會同有關部門聘請專家組成評標委員會，由評標委員會主持開標、評標和決標工作。

不具備投標者資格的標書，不符合招標文件規定的標書，以及超過截止日期送達的標書，評標委員會有權決定其無效。

評標委員會對有效標書進行評審，決定中標者。評標委員會簽發決標書後，由市土地局按標書訂明的地址對中標者發出中標證明書。

開標、評標、決定應有上海市公證處參加並出具公證書。

（四）中標者在規定日期內持中標證明書與市土地局簽訂出讓合同，並支付定金。

（五）中標者按出讓合同規定支付出讓金，向市土地局領取土地使用證，並在規定時間內向市登記處辦理土地使用權登記。

■ **第 18 條**　中標者在規定的日期內不與市土地局簽訂出讓合同的，取消其中標權，所交保證金不予退還。中標者因故不能在限期內與市土地局簽訂出讓合同的，可以在期滿前十天內向市土地局申請延期。但延長期不得超過三十天。

中標者所交的保證金可以抵充出讓金，未中

標者所交投標保證金，市土地局應在規定的日期內按原數原址退還。

■ **第 19 條** 定金可抵充出讓金，受讓人不履行出讓合同的，無權請求返還定金；市土地局不履行出讓合同的，應雙倍返還定金。

■ **第 20 條** 市土地局與受讓人簽訂的出讓合同，應經上海市公證處公證。

■ **第 21 條** 出讓金應按出讓合同中規定的幣種支付。

■ **第 22 條** 受讓人每年應按下列標准繳納土地使用金：

（一）1,000 平方米以下（含 1,000 平方米）的地塊，繳納人民幣 1,000 元。

（二）超過 1,000 平方米的地塊，每平方米繳納人民幣一元。

■ **第 23 條** 受讓人需要改變出讓合同規定的土地使用性質和規劃要求的，必須事先向市土地局提出申請，由市土地局提請市規劃局審核批准後，按市土地局的規定補足出讓金，重新簽訂合同或簽訂補充合同，並辦理登記。

■ **第 24 條** 凡在受讓土地上營建房屋及其他設施，應根據上海市城市規劃、建築管理、房產管理、交通、環保、衛生、環衛、消防等城市管理的有關規定辦理各項申請審批手續。

■ **第 25 條** 受讓人不按出讓合同的規定完成建築物的，市土地局可以根據具體情況處以罰款，直至無償收回土地使用權。

第三章　土地使用權的轉讓

■ 第 26 條　出讓合同規定的建築物未完成的，土地使用權不得轉讓。土地使用權分割轉讓的，必須經市土地局批准。

土地使用權轉讓時，其地上建築物隨之轉讓。

■ 第 27 條　土地使用權的轉讓，其方式包括贈與、出售和交換。

■ 第 28 條　受讓人將建成的建築物出售時，建築物使用範圍（包括庭院、圍牆等）所佔用的土地使用權同期移轉。同一建築物分割轉讓的，各房產所有人佔有相應比例的土地使用權，但同一建築物所佔用的土地使用權整體不可分割。

同一建築物分割出售時，出售人應事先證明各購買者應得的土地使用權的比例，並按市房產局的規定訂出建築物的使用管理維修公約。

房屋預售的，必須經市房產局批准。

■ 第 29 條　在轉讓或繼承土地使用權時，出讓合同以及登記文件中所登記的權利、義務和責任一起移轉。

■ 第 30 條　土地使用權的轉讓，可以在中國境內進行，也可以在中國境外進行。但沒有與中華人民共和國建立外交關係或沒有在中華人民共和國設立商務代表處的國家和地區除外。

轉讓在中國境外進行的，應取得所在國或地區的公證、外交機構的認證和中華人民共和國駐該國使領館或商務代表處的認證。在中國境內進行的，應經上海市公證處公證，或經有管轄權的其他公證處公證。

土地使用權的繼承，必須經上海市公證處公證，但經法院調解或判決的除外。

■ 第 31 條 土地使用權和房屋的轉讓，應由受讓人持按本辦法第三十條規定的經公證或認證的轉讓合同或繼承證明等合法文件向市土地局、市房產局分別辦理過戶手續，繳納過戶費和納稅。未經過戶的轉讓無效。

■ 第 32 條 土地使用權（連同地上建築物等）的轉讓和繼承，受讓人應在轉讓合同簽訂或繼承公證後，向市登記處登記。

■ 第 33 條 土地使用權在轉讓時，需要改變出讓合同規定的土地使用性質和規劃要求的，按本辦法第 23 條的規定辦理。

■ 第 34 條 擁有土地使用權的整個企業或其他經濟組織的所有權移轉，土地使用權亦隨之轉讓，並按本辦法的有關規定辦理手續。

第四章 抵押

■ 第 35 條 土地使用權及其地上建築物、其他附着物等，可以抵押。

抵押權的設定應向市登記處登記。

■ 第 36 條 抵押人與抵押權人各自的權利、義務等，必須在抵押合同中訂明。抵押合同不得違背出讓合同的規定。

■ 第 37 條　抵押人將已出租的房產作抵押物，不影響原房屋租賃關係。

■ 第 38 條　抵押權人有優先受償權，抵押權人之間的優先順序以在市登記處登記順序為准。

■ 第 39 條　抵押人到期不能履行債務的，抵押人在抵押合同期間宣告解散、破產的，抵押權人有權依據法律和合同的規定處置抵押物。

因抵押物的變賣而受讓土地使用權及其地上建築物、其他附着物的，受讓人應按本辦法第 30 條規定取得公證、認證，並按第 31、32 條規定辦理過戶和登記手續。

■ 第 40 條　抵押權因債務清償或其他原因而消滅的，抵押人和抵押權人應向市登記處辦理註銷抵押登記。

第五章　土地使用權回收

■ 第 41 條　出讓合同規定的使用期滿，該地塊的土地使用權即由市土地局收回。市土地局應同時註銷土地使用證，並通知市登記處註銷登記。該地塊上的建築物和其他附着物同時無償收回。

出讓合同中規定必須拆除的技術設備等，受讓人應按時拆除。除出讓合同另有規定外，非通用建築物等必須由受讓人按時拆除和清理，或由其支付拆除和清理費用。

■ 第 42 條　出讓合同期未滿的土地使用權不得收回。在特殊情況下，市土地局根據社會公共利益的需要，可以依法定程序予以收回，並給予合理的補償。

市土地局應在收回土地使用權日期前六個月，將收回土地使用權的理由、地塊坐落、四至範圍、收回日期等通知受讓人，並在收地所涉及的範圍內公告。自公告規定的收回土地使用權日期起，土地使用權及其地上建築物、其他附着物即由市土地局收回。

■ **第 43 條** 提前收回土地使用權的補償金額應按出讓合同的餘期、土地使用性質、地上建築物、其他附着物的價值和出讓金額等內容，由市土地局與受讓人協商確定。

補償金額協商有爭議的，爭議雙方可以向人民法院起訴。按公告規定的日期收回土地使用權不影響補償金額的最後確定。

■ **第 44 條** 收回出讓合同期末滿的土地使用權，市土地局與受讓人協商後，可以將另一地塊的使用權與受讓人進行交換。交換時，市土地局與受讓人在協定收回的土地使用權的補償金額和換得的土地使用權的出讓金額後，進行結算。

交換土地的使用權，市土地局應與受讓人重新簽訂出讓合同，並由受讓人辦理各項登記和換證手續。

第六章　稅　收

■ **第 45 條** 出讓、轉讓合同簽訂後，受讓人必須向上海市稅務局（以下簡稱市稅務局）辦理納稅登記，並比照《上海市契稅暫行條例實施細則》

的規定繳納契稅，稅率減半優惠。出讓合同的契稅免予徵收。

■ 第 46 條　土地使用權連同房屋轉讓的，應由受讓人繳納契稅。稅率是：出售的按買價 3% 繳納；贈與的按現值 3% 繳納；交換的視同買賣行為，分別按現值 3% 繳納。買價、現值由納稅義務人申報，經市稅務局核定。

■ 第 47 條　受讓人出讓地塊上建造的房屋，應按《城市房產稅暫行條例》的規定繳納房產稅。計稅辦法：由受讓人按房產原值扣除 20% 後，以 1.2% 的稅率，每年分兩次繳納。

在經濟技術開發區新建房屋的，自建成之日起，可享免徵五年房產稅的優惠待遇。

■ 第 48 條　在完成建築物以後，受讓人將土地使用權連同房屋轉讓或房屋出租時，應按《中華人民共和國工商統一稅條例》繳納工商統一稅。稅率是：出售的，按售價收入 3% 繳納；出租的，按租金收入的 5% 繳納；其經營所得，另按有關所得稅法的規定繳納所得稅。個人出售或出租的，按《中華人民共和國個人所得稅法》的規定納稅。

第七章　附　則

■ 第 49 條　受讓人是中華人民共和國境內的企業或其他經濟組織的，其稅收應優先適用國內企業的有關稅收規定。但外商投資企業按本辦法納稅。

■ 第 50 條　有關土地使用權有償轉讓的經濟糾紛，爭議雙方可以按照合同的仲裁條款或事後達成的書面仲裁協議，提交中國仲裁機構或者其他仲裁機構仲裁。

爭議雙方沒有在合同中訂立仲裁條款，事後又未達成書面仲裁協議的，可以依據我國的有關法律向人民法院起訴。

■ 第 51 條　本辦法由市政府法制辦公室負責解釋。

■ 第 52 條　有關實施本辦法的具體規定，由市土地局和有關部門制訂，報經市政府批准後實施。

■ 第 53 條　本辦法今後有修改的，不溯及修改前已簽訂的合同。但本辦法修改後對受讓人有優惠待遇的，經受讓人申請，可以享受有關優惠待遇。但國家法律另有規定的除外。

■ 第 54 條　本辦法自 1988 年 1 月 1 日起施行。

33

《天津經濟技術開發區場地使用費收費標准及收費辦法暫行規定》

（1985 年 4 月 19 日）

■ 第 1 條　本暫行規定根據中華人民共和國有關法律、法規和天津經濟技術開發區有關規定制定。

■ 第 2 條 本暫行規定適用於天津經濟技術開發區內的所有用地的企業、事業單位（以下簡稱用地單位）。

■ 第 3 條 擬建企業應在領取企業批准證書後，根據生產規模所需要的場地、向天津經濟技術開發區管理委員會規劃設計室（以下簡稱規劃室）提出用地申請，經規劃室審查批准後，由企業同天津經濟技術開發區管理委員會（以下簡稱開發區管委會）確認的土地開發建設單位（以下簡稱建設單位）簽訂土地使用合同。合同內容應包括：用地面積、地點、用途、期限、場地使用費金額、雙方的權利與義務，以及違反合同的懲罰規定等。

■ 第 4 條 規劃室憑土地使用合同，核准用地面積、用地紅線，發給《土地使用證書》。

■ 第 5 條 開發區的場地使用費（包括土地使用費和場地開發費兩部分，以下統稱場地使用費）標准，根據不同行業、用途和使用年限分類按等確定。企業可以分期按年交款，也可以一次全部交清，由企業選定，在場地使用合同中具體載明。

■ 第 6 條 開發區的場地使用費，按下列標準核收。

（一）按年度交納場地使用費時，每年每平方米收費標準，以美元計價為：

1. 工業、倉儲、辦公房用地：5.6 元（內含土地使用費 1 元人民幣）。

2．商業、服務業用地：8.3 元（內含土地使用費 1.2 元人民幣）。

3．公用設施、商品住宅用地：4.8 元（內含土地使用費 0.8 元人民幣）。

（二）按一次性交清場地使用費時，不同合同期限每平方米收費標準，以美元計價為（已含土地使用費）：

1． 工業、倉儲、辦公房用地：

五年合同期：23 元；

十年合同期：39 元；

十五年合同期：50 元；

二十年合同期：58 元；

二十五年合同期：64 元；

三十年合同期：68 元。

2． 商業、服務業用地：

五年合同期：34 元；

十年合同期：58 元；

十五年合同期：75 元；

二十年合同期：95 元；

三十年合同期：101 元。

3． 公用設施、商品住宅用地：

五年合同期：20 元；

十年合同期：33 元；

十五年合同期：43 元；

二十年合同期：50 元；

二十五年合同期：55 元；

三十年合同期：58 元。

合同期限不在上述列舉期限者，具體收費標準按內插法確定。

（三）預留地：按不同行業收費標準計算，第一年免收，第二年按20%收費，第三年按40%收費，第四年按60%收費，第五年按全額收費。

（四）凡在開發區興辦的文化教育、科學研究、醫療衛生、社會公益事業，場地使用費給予特別優惠。

■ **第 7 條**　承擔開發區工程施工單位需要臨時用地時，應持開發區有關單位委托施工的證明和施工執照向規劃室申請辦理臨時用地手續，其收費標準如下（人民幣）：

屬於開發區已填土平整的土地每月每平方米0.3元。

屬於用地單位自行填土再使用的土地，每月每平米0.12元。

其它臨時用地的收費標準由用地單位與建設單位具體協商確定。

■ **第 8 條**　開發區的場地使用費，每兩年調整一次。對於在 1986 年 12 月 31 日前來開發區投資，並取得土地使用證的用地單位，其場地使用費不作調整（從開始用地的第三年起，只根據每年物價指數平均增長幅度加收費用）。自 1987 年 1 月 1 日後前來開發區投資，並取得土地使用證的用地單位，按年交納場地使用費的，在合同期內，遇有場地使用費調整時，應自調整年度起按新的收費標準交納。

■ 第 9 條 屬於一次性交清場地使用費的用地單位，在場地使用合同有限期限內，遇有場地使用費繁調時，不變更，不調整。合同期限已滿，需要延長場地使用合同期限時，應按當時的場地使用費標準，交納場地使用費。

■ 第 10 條 場地使用費從場地使用合同規定的用地時間起開始計算收費。屬於一次性交清場地使用費的用地單位，應在領取營業執照之日起兩個月內交齊。

■ 第 11 條 新辦企業，第一日歷年用地時間超過半年的按半年計算，不足半年的免交。終止時亦同。

■ 第 12 條 屬於一次性交納場地使用費的企業，在合同期內提前終止，不再退還已交納的場地使用費。

■ 第 13 條 場地使用費由開發區管委會委托的建設單位收繳。企業應按照場地使用合同規定的場地使用費標準，在上述交款期限內採用付款委托書的方式，向指定的建設單位交納。逾期一個月加收利息 8%；逾期兩個月以上的，按加收利息的兩倍收取罰金。

■ 第 14 條 開發區場地使用費收費標準的制訂、調整、解釋以及收費辦法的確定，屬天津經濟技術開發區管理委員會。

■ 第 15 條 本暫行規定自公布之日起施行。本規定公布前與用地單位商定的場地使收費標準和收繳辦法繼續有效。

I　黑龍江、大連現行法規

34

《黑龍江省人民政府關於對客商投資興辦企業實行優惠辦法的若干規定》（節錄）

（1985年1月8日）

七．實行場地使用費（按土地使用費和場地開發費計收）特別優惠政策。場地使用費可採取作為我方投資的股本或由合營企業、獨資企業繳納現金等靈活多樣的計收形式。對 1987 年前來我省投資興辦生產性企業的客商，免收三年土地使用費，減收場地開發費 10%–30%。

八．土地使用費的收費標準，按省內不同區域、不同行業和使用年限來確定。大中城市的土地使用費，每年每平方米的收費標準低於鄰近省份收費標准的 20%–50%。一般市縣的土地使用費每年每平方米比大中城市的收費標準相應減少 30%–50%。對興辦文化教育、科學研究、醫療衛生、社會公益事業所需土地，均免收土地使用費。

九．場地開發費（含土地徵用費、拆遷安置費和為企業直接配套的通路、通水、通電、通煤氣、通電訊、通排污管道，平整土地等費用）的收取標準，大中城市的土地每平方米低於鄰近省份的 10%–40%。一般市縣相應減少 30%–50%。場地開發費兩年內付清者不計利息，兩年內付清有困難的可分年繳付。分年繳付的最長時間應不超過合同期滿的前兩年。

十．對華僑和港澳、台灣同胞在我省的投資者，給予特殊的優惠，允許投資者招聘在我省的親屬或親友作為其代表或代理人。還可優先在興辦的企業中安排其親屬就業，對居住在農村的親屬允許到企業所在地落戶和享受商品糧供應。

35

《大連經濟技術開發區土地使用管理辦法》

（1984 年 10 月 15 日）

第一章　總　則

■ 第 1 條　根據中華人民共和國有關法律、法規，特制定本辦法。

■ 第 2 條　本區範圍內已開發和尚待開發的礦

藏、水流、荒地、耕地、山林和其他海陸資源，均由大連經濟技術開發區管理委員會（以下簡稱開發區管委員）依照有關規定統一徵用和管理。

■ 第 3 條　經批准的開發區總體規劃，任何單位和個人都必須服從。開發區範圍內土地的地形、地貌、未經批准，不得隨意改變。

■ 第 4 條　任何單位和個人均須經開發區管委會批准並完備應辦手續後方得使用土地。土地使用者對使用土地只有使用權，所有權屬於國家。區內禁止買賣和變相買賣土地，禁止擅自出租和轉讓土地；不得開採、動用或破壞地下資源和其他資源。

■ 第 5 條　開發區的基礎設施由開發建設公司投資興建，也可吸收外資參與興建。土地開發利用的支出和收入，由開發建設公司統籌安排。

第二章　土地的經營管理

■ 第 6 條　土地使用者在開發區投資建廠和興辦各項事業，應憑開發區管委會批准文件和合同、協議書及投資興辦事業的有關資料，填寫用地申請表。獲准後再由開發區規劃建設部門撥給土地。簽訂土地使用合同，發給《建設用地許可證》、《土地使用證書》。凡未經批准，直接與原土地使用單位或個人所簽訂的土地使用合同一律無效。並按規定沒收其全部非法所得，視其情節輕重，處以罰款。

土地使用合同應訂明：用地地點、面積、用

途、期限、定金、費額、交費辦法、雙方義務以及罰則等。

■ 第 7 條　自《土地使用證書》生效之日起六個月內，土地使用者應提出工程建設總體設計圖和施工、投產計劃；九個月內，應按照工程總體設計破土施工。逾期者，吊銷《土地使用證書》其已繳付款項不予退還。工程投產計劃應按期完成，如不能按期完成，土地使用者應出示證明，經原批准機關審查確認有正當理由，方能適當延長；無正當理由拖延者，給予罰款。

■ 第 8 條　土地使用者按合同規定建設的一切建築，均應符合中華人民共和國有關建築規範、防火安全和環境保護的要求，由規劃建設部門召集有關部門驗收核准，方可正式投入使用。違反規定者，不准使用。擅自使用導致發生事故的，應賠償損失，承擔法律責任。

■ 第 9 條　土地使用者在用地範圍內的建築物，應按照規劃部門關於建築樓宇、園林綠化比率的規定進行建設，不得隨意擴大或縮小。

■ 第 10 條　土地使用者對用地範圍內的建築物，未經開發區規劃建設部門批准，不得任意拆除、改建、擴建和重建。

■ 第 11 條　土地使用者在使用的土地範圍內，應按合同、協議書規定的用途進行建設，不得任意改作他用。如需改變用途，須經批准並按本辦法的第六條規定辦理手續。

■ 第 12 條　土地使用者如需變更用地範圍，須按本辦法第六條規定辦理手續。對擅自擴大用地者，必須按期騰退，並視其情節輕重，自佔用之日起，依本辦法第十四、十五條規定，按月計算罰款二至三倍。

第三章　土地使用年限和土地使用費

■ 第 13 條　土地使用者投資建廠、興辦各項事業，其土地使用年限，根據經營項目、投資額和實際需要協商確定，最長使用年限為：工業用地四十年；商業、飲食服務業、種植業、畜牧業、養殖業用地二十年；文化、教育、科學研究、醫療衞生、商品住宅、別墅、辦公樓用地五十年；旅遊事業用地三十年、

土地使用者所使用的土地，按照合同規定年限期滿後，如需繼續使用，須報經原批准機關核準，予以續約。

■ 第 14 條　土地使用者投資建廠、興辦各項事業，不論新徵土地或利用原有企業的場地，均計收土地使用費和場地開發費。

■ 第 15 條　土地使用費的標準，根據不同區域條件，不同行業和使用年限分類按等確定，每年每平方米收費標準（人民幣）為：工業、倉儲用地，一等 1.3 元；二等 1 元；商業、服務、旅遊建築用地，一等 15 元，二等 13 元；商業住宅、辦公樓用地一等 7 元，二等 5 元，別墅區用地，一等 10 元，二等 8 元；露天遊樂、種植、畜牧、養殖用地，一等 4 元，二等 0.3 元。

土地使用費在開始用地的五年內不調整，以後每三年調整一次，其變動幅度不超過30%。

■ **第 16 條** 場地開發費（含土地徵用費、拆遷安置費和為企業直接配套的供水、供電、煤氣、通訊、道路等公共設施應攤的費用），根據不同區域和行業，收費標準每平方米為人民幣 165 元至 190 元。兩年內付清者不計利息，兩年內付清有困難的，可分年繳付。分年繳付的最長時間分別是：國內各地區、各部門興辦的企事業，不得超過二十五年；外國和港澳地區的公司、企業以及個人興辦的中外合資、合作和獨資企業，應於合同期滿前兩年付清。凡超過兩年分年繳付的應按規定利率負擔開發費利息。

■ **第 17 條** 為鼓勵先期來開發區投資興辦生產性企業，自 1984 年 10 月 15 日起，三年內分別給予優惠：1985 年、1986 年、1987 年來投資的，對場地開發費分別減收 30%、20% 和 10%，並免收三年土地使用費；凡在指定區域自行投資建設基礎設施興辦企業的，免收場地開發費和十五年內的土地使用費。

■ **第 18 條** 凡在開發區興辦文化、教育、科學研究、醫療衛生、社會公益事業，均免收土地使用費。

■ **第 19 條** 土地使用費自領取《土地使用證書》之日起，按年計收。用地當年超過半年的按半年計收，不足半年的免收。在執行合同中，如遇調價，則從調價的年度起，按新標準繳納。

第四章 公共設施

■ 第 20 條 土地使用者用地範圍內的道路、供電、供熱、供水、排水、煤氣管道和通訊設備，均應按有關標準自費修建，其與用地範圍外連接的各種幹線的安裝費用，應由土地使用者支付。

■ 第 21 條 土地使用者用地範圍內的廢渣、廢氣、廢水的排放和處理，均應符合中華人民共和國環境保護法規定的排放標準和處理要求，並接受環境保護部門的檢查監督，按規定繳納處理費。

第五章 附 則

■ 第 22 條 本辦法修改、解釋權屬於大連市人民政府。

■ 第 23 條 本辦法自公布之日起施行。

36

《大連經濟技術開發區若干優惠待遇的規定》（節錄）

（1984年10月15日）

■ **第24條** 客商在開發區的用地按需要提供。使用費的標準，根據不同的區域條件、行業和使用年限分類按等確定，每年每平方米收費標準（人民幣）為：

工業、倉儲用地：一等1.3元，二等1元；

商業、服務業、旅遊建築用地：一等15元，二等13元；

商品住宅、辦公樓用地：一等7元，二等5元；

別墅區用地：一等10元，二等8元；

露天泳場、種植、畜牧、養殖業用地：一等0.4元，二等0.3元。

■ **第25條** 場地開發費（含土地徵用費、拆遷安置費和為企業直接配套的供水、供電、煤氣、排水、通訊、道路等公共設施應攤的費用）根據不同區域和行業，收費標準每平方米為人民幣165元至190元。兩年內付清者不計利息，兩年內付清有困難的，可分年繳付。分年繳付的最長時間分別是：國內各地區、各部門興辦的企事業，不得超過二十五年；客商興辦的中外合資、合作和獨資企業，應於合同期滿前兩年付清。凡超過兩年分期繳付的，按規定利率負擔開發費利息。自1984年10月15日起，二年內來投資興辦生產性企業，減收場地開發費；1985年投資的減收30%，1986年投資的減收20%，1987年投資的減收10%；並免收三年土地使用費。

■ **第 26 條** 客商在指定區域自行投資建設基礎設施的，免收場地開發費和十五年到二十年的土地使用費。

■ **第 27 條** 凡在開發區興辦文化教育、科學研究、醫療衛生、社會公益事業，免收土地使用費。

■ **第 28 條** 華僑投資興辦企業給予特別優惠。

J 廈門、寧波現行法規

37

《廈門經濟特區土地使用管理規定》

（1984年7月14日）

■ 第1條　根據中華人民共和國有關法律、法規，制定本規定。

■ 第2條　特區範圍內的陸地、灘塗、水域及其資源。由廈門市人民政府統一規劃和管理。

■ 第3條　特區企業用地，必須服從特區建設的總體規劃，經批准的建設項目及其總體平面佈局，不得擅自改變。

■ 第4條　特區企業需用土地，應持投資項目的批准文件和合同副本，向廈門市城鄉建設委員會申請。經核配後，領取土地使用證，取得土地使用權。

■ 第5條　特區企業應領取土地使用證之日起，九個月內提出工程建設總體設計圖紙和施工計劃；一年內破土施工，按時完成。無故拖延施工的，吊銷土地使用證，已繳納的土地使用費不予退還。如有正當理由，可向原審批機關申請延長施工期限。

■ **第 6 條** 土地使用年限，根據經營項目和實際需要，分別核定。各行業使用土地一次簽約的最長年限為：

（一）工交、公用事業用地 40 年

（二）商業、服務業用地 20 年

（三）金融、旅遊業用地 30 年

（四）房產業用地 50 年

（五）科技、教育、文化、衛生事業用地60年

（六）畜牧、種植、養殖業用地 30 年

核定年限屆滿，如需繼續經營，可於期滿前申請辦理延長使用手續。

■ **第 7 條** 特區企業用地。不論新徵用土地，還是利用原有企業的場地，都應繳納土地使用費。土地使用費金額，由廈門市人民政府根據不同行業、地段和技術先進程度規定。自公布施行的年度起三年內不予調整，以後每三年可酌情調整一次，調高幅度不超過 30%。特區企業在批准的基建期限內，土地使用費減半。

■ **第 8 條** 土地使用費按年繳納，一次繳納三年以上的，給予優待，具體辦法由廈門市人民政府規定。

土地使用費，第一年於領取土地使用證之日繳納，半年以內的免繳，超過半年的按半年計算。從第二年起，於當年 3 月 31 日前繳納。逾

期不繳的，按日加收千分之一的滯納金。

■ 第 9 條　經批准使用的土地，特區企業或個人只有使用權，沒有所有權。土地使用權，在核定的使用期內，經批准可以轉讓，並辦理過戶手續，換發土地使用證。

■ 第 10 條　特區企業預留發展用地，須經批准，按核定的土地使用費繳納 50% 的預留費。預留期不得超過二年，逾期不予保留。在期限內使用的，須辦理用地手續，免繳當年土地使用費。

■ 第 11 條　特區企業需臨時用地，須經廈門市城鄉建設委員會批准，繳納臨時用地費。臨時用地的期限最長為二年。

臨時用地期滿，使用單位應將搭設的臨時設施拆除，破壞地形的應恢復原狀。

■ 第 12 條　特區土地的成片開發經營應向廈門市人民政府申請，其使用年限、經營權限和方式、用地收費標準和繳納辦法以單項協議解決。

■ 第 13 條　使用特區土地，必須符合特區有關環境保護、水土保持、防火安全、建築規範、園林綠化等規定的要求。

■ 第 14 條　特區企業用地範圍內的供電、電訊、供水、排水、排污和道路等設施，均應自行修建。

■ 第 15 條　內聯企業使用特區土地，適用本規定。

■ 第 16 條　本規定自公布之日起施行。

38

《寧波市中外合資經營企業土地使用管理實施辦法》

（1985 年 6 月 15 日）

第一章　總　則

■ 第 1 條　為了合理利用土地資源，促進中外合資經營企業的發展，根據《中華人民共和國憲法》和《中華人民共和國中外合資經營企業法》，制定本辦法。

■ 第 2 條　在寧波市區範圍內興辦中外合資經營企業（以下簡稱合營企業）需要使用土地的，按照本辦法辦理。

■ 第 3 條　合營企業對於批准使用的土地，只有使用權，沒有所有權，禁止買賣和變相買賣土地。

■ 第 4 條　合營企業的建設，必須服從城市和經濟技術開發區建設規劃。不得違章建設，不得擅自開採、動用或破壞地下資源和其他資源。

第二章　土地管理

■ 第 5 條　寧波市房地產管理局（以下簡稱市房地局）是寧波市區合營企業使用土地的管理機關。

寧波市經濟技術開發區建設部門是開發區合

營企業使用土地的管理機關。

■ 第 6 條　興辦合營企業需要使用土地的，應向土地管理機關提出用地申請，經審查批准後，簽訂土地使用合同，向審批機關領取《土地使用證》。

土地使用合同內容應包括：用地面積、地點、用途、期限、費額、交費辦法、雙方權利和義務以及違反合同的罰則等。

原有企業同外商合營，其原來所使用土地改為合營企業使用時，應由合營企業土地管理機關申請領取《土地使用證》。

未經批准，直接與原土地使用單位或個人簽訂土地使用合同，一律無效。

■ 第 7 條　合營企業經批准使用的土地，其徵地拆遷安置補償等工作，由土地管理機關或由其委托的單位統一辦理。

■ 第 8 條　自土地使用合同生效之日起六個月內，土地使用者須提出工程建設總體設計圖和施工、投產計劃；九個月內，須按照工程總體設計破土施工；不能按期施工的，經土地管理機關審查確認有正當理由的，可以適當延長；無正當理由拖延施工的，可吊銷《土地使用證》，已繳納的土地使用費和場地開發費不予退還。

■ 第 9 條　合營企業按合同規定建設的一切建築，必須符合國家有關土地管理、環境保護、水土保持、建築規範、防火安全等法規的要求，由土地管理機關會同有關部門驗收核准，方可正式投入使用。違反規定，不符合要求的，不准使用。

合營企業按合同規定建設的一切建築，需要拆除、改建、擴建、重建和改作他用的，需經土地管理機關批准。

第三章 土地使用費及場地開發費

■ 第 10 條 合營企業使用場地的年限，根據經營項目、投資額、資金回收的快慢和實際需要協商確定。最長使用年限為：

（一）工業、倉儲用地：30 年；

（二）商業、旅遊業、服務業和辦公樓用地：20 年；

（三）商品住宅用地：50 年；

（四）教育、科學技術、醫療衛生用地：50 年；

（五）種植業、養殖業、畜牧業用地：20 年。

合營企業使用的土地，按照規定年限期滿後，如需繼續使用，經批准後可以續約。

■ 第 11 條 合營企業用地，包括新徵用的土地和利用原有企業的場地，均應繳納土地使用費和場地開發費。

■ 第 12 條 土地使用費的標準，由寧波市人民政府根據土地的用途和地理環境條件分類確定、公布。

合營企業應繳納的土地使用費，經企業申

請，寧波市人民政府（或開發區管委會）批准，可以減繳。

興辦教育、文化、科學技術、醫療衛生等社會公益事業，經寧波市人民政府批准，可減繳土地使用費。

土地使用費從本辦法公布之日起，5年內不調整，以後每三年調整一次，其變動幅度不超過30%。

■ 第 13 條　場地開發費包括徵用土地的補償費用、原有建築物的拆遷費用、人員安置費用，以及為合營企業直接配套的廠外道路、管線等公共設施應分攤的投資。場地開發費收費標準由寧波市人民政府根據不同區域和行業分類確定。

■ 第 14 條　合營企業應繳納的場地開發費，可按合營期限分年繳付。

■ 第 15 條　中方企業利用原有廠房、場地、設施與客商合資興辦企業的，經寧波市人民政府批准，可減繳場地開發費。

■ 第 16 條　合營企業的供水、供電、排水、通訊、道路等設施需要敷設專線的，費用由合營企業負擔，其場地開發費可相應減繳。

在指定區域自行投資建設基礎設施興辦企業的，可減繳或免繳場地開發費。

興辦教育、科學技術、文化，醫療衛生等社會公益事業的，經寧波市人民政府（或開發區管委會）批准，可減繳或免繳場地開發費。

■ 第 17 條　先期來經濟技術開發區投資興辦生產

性企業的，其場地開發費在 1985 年、1986 年、1987 年可分別減至 70%、80%、和 90% 繳納。

■ 第 18 條　土地使用費和場地開發費由土地管理機關收取，在建設銀行專戶存儲，統一用於合營企業的場地開發，改善投資環境。場地開發費收入不足以支付時，可向建設銀行貸款，用以後收取的土地使用費、場地開發費償還。

第四章　公共設施

■ 第 19 條　合營企業用地範圍內的道路、供電、供水、排水等管道和通訊設備，應由合營企業自費修建，其與用地範圍外各種幹線連接所需的建設費用，也應由合營企業支付。

■ 第 20 條　合營企業用地範圍內的廢渣、廢氣、廢水的排放和處理，均應符合《中華人民共和國環境保護法（試行）》規定的排放標準和處理要求，並接受環境保護部門的檢查監督。違反規定，造成污染的，依法處理。

第五章　附　則

■ 第 21 條　在本辦法公布之前興辦的中外合資經營企業，其土地使用和場地開發的收費標準和收取辦法，可按已訂立的合同辦理。

■ 第 22 條　中外合資企業、外商獨資經營企業以及華僑、港澳同胞興辦的合資、合作和獨資經營企業的用地、參照本辦法辦理。

■ 第 23 條　本辦法自公布之日起施行。